Jacques de Lacretelle

de l'Académie française

Silbermann

Gallimard

I

En troisième on passait au grand lycée. Il occupait la moitié de l'établissement et était identique à la partie où j'avais fait mes études pendant quatre années. Même cour carrée, plantée de quelques arbres, dont faisait le tour une haute galerie couverte, élargie à un endroit pour former préau : même disposition des classes tout du long de cette galerie; et sur les murs, entre les fenêtres, semblables moulages de bas-reliefs antiques.

Néanmoins, comme c'était la première fois, le matin de cette rentrée d'octobre, que je pénétrais dans cette cour, les choses me présentaient un aspect neuf et je portais de tous côtés des regards curieux. La pensée chagrine d'une indépendance qui expire me vint à l'esprit comme je remarquais les portes et les croisées nouvellement repeintes. Leur couleur marron rouge était pareille à celle des jujubes que l'avant-veille encore je ramassais à Aiguesbelles, près de Nîmes, dans le jardin du mas. C'était là, chez mes grands-parents, que nous avions passé les vacances comme chaque année. Nous y restions jusqu'au soir du dernier dimanche, car ma mère se plaisait beaucoup à ces jours de cérémonie et de loisir qui lui rappelaient les réjouissances virginales de sa jeunesse. L'absence de mon père, qui rentrait à Paris au commencement de septembre, la rendait libre de les vivre de même façon qu'autrefois. Le matin, nous allions avec mes grands-parents au temple. Au retour, ma mère ne manquait jamais de cueillir au vieux figuier, dont les racines noueuses étaient captives dans le dallage de la terrasse, la figue la plus belle et la plus chaude. Elle me la tendait, ayant fendu en quatre la pulpe rose et granuleuse, et me regardait manger, cherchant dans mes yeux si j'aimais les fruits de cet arbre autant qu'elle les avait aimés à mon âge...

Mais dans cette cour où je me trouvais maintenant et malgré une légère angoisse à l'idée des nouvelles contraintes scolaires, une joyeuse impatience chassait de moi tout regret. J'allais revoir Philippe Robin, qui était mon ami.

Il n'était pas encore là, car les élèves de l'institution catholique où il était demi-pensionnaire arrivaient au lycée juste pour l'entrée en classe. En l'attendant, parmi le bruit dont depuis deux mois je m'étais désaccoutumé, j'avais serré quelques mains et échangé quelques mots; mais de la manière la plus insignifiante, la moins intime, réservant avec soin pour Philippe toute effusion essentielle. D'ailleurs, plusieurs des figures qui m'environnaient m'étaient inconnues; d'autres l'étaient à moitié, ne portant pas de nom, ayant seulement la légende que je leur avais composée, les années passées, au cours des allées et venues quotidiennes.

Le détachement de l'école Saint-Xavier apparut.

En tête venaient *de* Montclar et *de* La Béchellière (c'était l'habitude chez nos professeurs de dire ainsi) qui tous deux avaient été dans la même division que moi en quatrième. Le premier, de taille moyenne, robuste, les traits énergiques, montrait cet air arrogant qu'il prenait toujours pour pénétrer au lycée. Il lançait des coups d'œil méprisants de droite et de gauche et faisait part de ses moqueries à son compagnon. Celui-ci, grand, le cou long, d'aspect également hautain, mais en raison de son buste étriqué et de ses gestes gourmés, laissait apparaître, en guise de réponse, une expression niaise sur son visage privé de couleurs. Enfin j'aperçus Philippe qui accourait vers moi.

Comme il avait changé! Je ne pus retenir une exclamation en le considérant de près. Son teint était hâlé; on lui voyait un duvet doré sur les joues; et quand il riait, ses fossettes se creusaient profondément, laissant ensuite de petites lignes sur la peau.

— Hein! dit-il fièrement, je me suis bien bruni au soleil. C'est à Arcachon où j'ai passé le mois de septembre avec mon oncle Marc, comme je te l'ai écrit. Toute la journée, pêche ou chasse en mer. Quelquefois nous partions à quatre heures du matin et nous rentrions à la nuit... Et une chasse pas commode, mon vieux! des courlis... Il n'y a pas d'oiseaux plus prudents ni plus difficiles à tirer. C'est mon oncle qui me l'a dit. Il n'en a tué que quatre pendant la saison, et pourtant il a tout le temps des prix au Tir aux pigeons.

Je n'avais jamais tenu un fusil. Chasser ne m'attirait nullement. Je connaissais un peu l'oncle de Philippe. C'était un homme d'une trentaine d'années, bien découplé, à grosses moustaches rousses, dont la poignée de main était brutale.

Philippe s'interrompit et me demanda distraitement :

— Et toi? Tu es rentré hier?... Tu as passé de bonnes vacances?

— Oh! dis-je, j'adore Aiguesbelles. Chaque année je m'y plais davantage.

— Eh bien, moi aussi, jamais je ne me suis autant amusé que pendant ces deux mois, surtout à Arcachon.

Il reprit son récit. Il me rapporta l'incident d'une barque échouée, me décrivit des régates à voile auxquelles il avait pris part. Il parlait sans s'occuper de moi et sur un ton fanfaron. J'eus le souvenir d'une grosse déception que j'avais éprouvée, étant enfant, un jour qu'un ami que j'avais été voir avait joué tout seul en ma présence, lançant des balles très haut et les rattrapant. Tandis que Philippe résumait cette vie folle et heureuse où je n'avais eu aucune place, où tout m'était étranger, son visage était devenu rouge de plaisir. Et cela me fut si désagréable, cette bouffée de sang, cela me parut la preuve d'une infidélité si profonde que je détournai la tête. Le regard tombé sur le cailloutis poussiéreux de la cour, je me rappelai avec tristesse que depuis des semaines je songeais aux délices du moment où je me retrouverais avec lui... Et j'eus le pressentiment que nous allions cesser d'être amis.

Le tambour roula. Nous nous mîmes en rang.

— A Houlgate, pendant le mois d'août, poursuivit-il à voix moins haute, j'ai fait beaucoup de tennis. Mais, là-bas, c'était moins agréable parce que — il fit une moue — il y avait trop de Juifs... Sur la plage, au casino, partout, on ne rencontrait que ça. Mon oncle Marc n'a pas voulu y rester trois jours. Tiens, celui-là y était. Il s'appelle Silbermann.

En disant ces mots, il m'avait désigné un garçon qui se tenait à la porte de la classe, en tête des rangs, et que je ne me rappelais pas avoir aperçu l'année précédente dans aucune division de quatrième. Il était petit et d'extérieur chétif. Sa figure, que je vis bien car il se retournait et parlait à ses voisins, était très formée, mais assez laide, avec des pommettes saillantes et un menton aigu. Le teint était pâle, tirant sur le jaune; les yeux et les sourcils étaient noirs, les lèvres charnues et d'une couleur fraîche. Ses gestes étaient très vifs et cap-

11

tivaient l'attention. Lorsque, avec une mimique que l'on ne pouvait s'empêcher de suivre, il s'adressait à ses voisins, ses pupilles semblaient sauter sur l'un et puis sur l'autre. L'ensemble éveillait l'idée d'une précocité étrange; il me fit songer aux petits prodiges qui exécutent des tours dans les cirques. J'eus peine à détacher de lui mon regard.

Nous entrâmes en classe.

Les Saint-Xavier, au nombre d'une dizaine, se groupèrent, comme ils en avaient l'habitude. Je me plaçai devant Philippe Robin. Sitôt entré, Silbermann avait couru avec un air de triomphe au pied de la chaire. Notre professeur était un homme autour de la quarantaine, aux regards pénétrants et froids, aux mouvements justes. Il procéda envers chacun de nous à une sorte d'interrogatoire, prenant des notes d'après les réponses. On apprit que Silbermann avait sauté une classe. Le fait était rare et motiva des explications.

— J'étais en retard d'une année, déclarat-il, et c'est pour réparer ce retard, comme j'ai eu de bonnes places en cinquième.

— Je doute que vous puissiez suivre le cours.

— J'ai eu trois prix l'année dernière, répliqua-t-il avec insistance.

— C'est très bien, mais vous ne vous trouvez pas préparé comme vos camarades aux matières de notre enseignement. Le programme scolaire est gradué, et qui manque un échelon risque fort de tomber.

— J'ai travaillé pendant les vacances, Monsieur.

Durant ce dialogue, Silbermann s'était tenu debout et il avait parlé d'une voix très humble. Malgré cette attitude exemplaire, son ton sonna étrangement dans la classe tant il avait voulu être persuasif.

Lorsque nous sortîmes en récréation, quelqu'un s'approcha et lui dit en haussant les épaules :

— Voyons, tu ne pourras pas rester ici. Il faudra que tu redescendes en quatrième.

— Ah! tu crois ça? répondit Silbermann, faisant une mine ironique.

Puis, la main vivement tendue, avec un petit battement âpre de la narine :

— Combien veux-tu parier que je serai au moins deux fois premier avant la fin du trimestre?

L'après-midi de ce premier jour, nous eûmes congé. Philippe Robin vint me voir. Ma famille le trouvait charmant. Mon père me citait en exemple ses manières viriles, et ma mère ses attentions courtoises. Ils avaient beaucoup encouragé notre camaraderie. La première fois que je l'avais nommé devant elle, ma mère m'avait demandé s'il n'habitait pas avenue Hoche, et, sur ma réponse affirmative, elle avait dit avec respect :

— Alors, c'est le fils du notaire. C'est une famille très connue, un grand nom de la bourgeoisie parisienne. Les Robin ont une étude depuis cent ans peut-être.

Et elle m'avait conseillé de l'inviter à la maison. Je sais bien pourquoi. Ma mère, depuis son mariage, n'avait eu d'intérêt dans la vie que pour la carrière de son mari. Elle avait poursuivi avec une patience unique tout ce qui pouvait hausser et étayer la situation de mon père dans la magistrature. Certes, elle ne songeait pas à ralentir son effort, car mon père, juge d'instruction à Paris, n'était encore, comme elle le disait, qu'à mi-côte. Mais j'approchais de l'âge d'homme et elle s'apprêtait à faire le même chemin avec moi, tel un courageux cheval de renfort qui ne connaît qu'une seule tâche. Elle m'entretenait souvent de mon avenir, m'expliquait diverses professions, leurs avantages, leurs « aléas », découvrant à mon esprit des espaces un peu obscurs, d'aspect un peu rude, pareils à des forges, où, pour me stimuler, elle soufflait le foyer, brandissait l'outil, frappait l'enclume. Son horreur la plus vive était à l'égard de ceux qui ne travaillaient pas. Elle prononçait le mot « oisif » d'une façon qui mettait vraiment hors la loi celui auquel il était appliqué. Elle était d'une activité que révélait son agenda, chargé et surchargé de mille signes et posé tout ouvert sur sa table comme une bible. Si l'on avait rassemblé toutes ces pages depuis vingt ans et si l'on avait su y lire, on aurait démêlé à quelle sorte de travail sa vie avait été employée. On aurait pu suivre à travers ces notes de vaines occupations mondaines, visites ou assemblées d'œuvres charitables, un ouvrage mystérieux de galeries percées et étendues, dont l'utilité concourait toute à servir mon père. Dans cette fourmilière savamment creusée autour de nous, il n'était point de voie qui ne fût entretenue avec régularité. Oui, elle avait mis à son effort l'application tenace d'une fourmi. Sur son livre de visites, les adresses biffées n'étaient pas seulement celles des personnes qui étaient mortes, mais encore celles des salons qui n'avaient pas d'aboutissants, chemins où elle s'était fourvoyée et qu'elle abandonnait sitôt son erreur aperçue.

Ce que lui coûtaient ces démarches, ces menées, je l'ai su plus tard, lorsque j'ai compris le sens des soupirs que je l'avais entendue pousser bien souvent devant son miroir, tandis qu'elle arrangeait ses cheveux grisonnants ou qu'elle entourait d'une voilette sa figure pâle et effacée d'ouvrière trop laborieuse.

— Ah! ce dîner Cottini... laissait-elle échapper... Cette visite chez Mme Magnot...

C'est que Cottini, directeur d'un grand journal, avait une réputation notoire de viveur, et que Magnot, le député, avait, disait-on, vécu plusieurs années en ménage avec sa maîtresse avant de l'épouser. Or ma mère jugeait les mœurs selon un code rigoureux et inflexible.

Instruite par cette expérience, elle désirait m'écarter de toute carrière ouverte à la brigue et soumise aux influences politiques.

Pour d'autres raisons, réussite incertaine, absence de discipline, elle repoussait les professions libérales ou celles qui dépendent d'une vocation souvent trompeuse.

— C'est se jeter à l'aventure, déclarait-elle. De nos jours, la sagesse est d'entrer dans une grande administration privée dont on connaît le chef. On suit la filière, c'est vrai, mais sans risque; et si l'on est intelligent et consciencieux comme c'est ton cas, on avance rapidement tandis que les autres marquent le pas.

Aussi, alors qu'elle ne m'eût pas vu sans méfiance fréquenter la magnifique maison des Montclar, « ces oisifs », elle se montrait fort contente de mon intimité avec Philippe Robin, le fils du notaire. Elle n'avait pas tardé à entrer en relations avec les parents de mon ami; et généralement, au retour des visites qu'elle leur faisait, elle m'apprenait que « ce qu'il y a de plus huppé dans la bourgeoisie à Paris se trouvait là ».

Cette amitié entre Philippe Robin et moi ne provenait pas d'une conformité de nature. Philippe avait un esprit positif; il était d'une humeur très sociable et assez rieur. Moi, j'étais peu bavard, plutôt grave, et sensible principalement à ce qui joue dans l'imagination. Mais, surtout, notre morale, si l'on peut ainsi dire pour parler de règles dirigeant des cerveaux de moins de quinze ans, n'était pas la même.

Lorsque Philippe ressentait un vif désir, lorsqu'il cédait à quelque tentation, ses mouvements étaient bien visibles. Il ne dissimulait rien; il se comportait avec franchise et insouciance, comme s'il avait la garantie commode que toute faute peut être remise. Il n'en était pas de même pour moi. J'appréhendais sans cesse qu'une mauvaise action ne me fît dévier pour toujours de la voie étroite qu'un idéal sévère me présentait comme le juste chemin. Ayant grandi dans une atmosphère traversée par les foudres de la loi, je redoutais également le jugement de la société. Ces scrupules de conscience et ce respect craintif retenaient mes actes et me faisaient placer avant toutes qualités la réserve et le renoncement. Quel succès, lorsque (souvent grâce à une habile dissimulation) je me sentais à l'abri de toute curiosité! Quelle joie, lorsque je parvenais à triompher d'une intention suspecte! Joie si forte et jugée par moi si salutaire que je ne résistais guère au plaisir de la provoquer par un artifice. Ainsi, je me laissais quelquefois envahir sournoisement par de mauvaises pensées, je favorisais leur développement dans mon imagination, je prenais plaisir à m'y exciter, puis, avec une sorte de passion, je coupais net ces mauvais rameaux. J'avais alors le noble sentiment d'avoir fortifié mon âme. De même, à Aiguesbelles, mon grand-père ordonnait au printemps que quelques pieds de vigne ne fussent point taillés, afin que lui-même, se promenant dans son domaine, eût la satisfaction d'y porter la serpe. Il se penchait sur le cep dangereusement délaissé, rédui-

sait et rognait avec une passion vétilleuse,
puis, en se relevant, me disait d'un ton
orgueilleux :

— Vois-tu, petit, la meilleure vigne est
celle qui est la plus soigneusement taillée.

II

En classe d'anglais, je fus placé à côté de Silbermann et pus l'observer à loisir. Attentif à tout ce que disait le professeur, il ne le quitta pas du regard; il resta immobile, le menton en pointe, la lèvre pendante, la physionomie tendue curieusement; seule, la pomme d'Adam, saillant du cou maigre, bougeait par moments. Comme ce profil un peu animal était éclairé bizarrement par un rayon de soleil, il me fit penser aux lézards qui, sur la terrasse d'Aiguesbelles, à l'heure chaude, sortent d'une fente et, la tête allongée, avec un petit gonflement intermittent de la gorge, surveillent la race des humains.

Puis, une grande partie de la classe d'anglais se passant en exercices de conversation avec le professeur, Silbermann, levant vivement la main, demanda la parole à plusieurs reprises. Il s'exprimait en cette langue avec beaucoup plus de facilité qu'aucun d'entre nous. Pendant ces deux heures, nous n'échangeâmes pas un mot. Il ne fit aucune attention à moi, sauf une fois avec un regard où je crus lire de la crainte. D'ailleurs, les premiers jours, il se comporta de la sorte envers tous; mais c'était sans doute par méfiance et non par timidité, car, au bout de quelque temps, on put voir qu'il avait adopté deux ou trois garçons plutôt humbles, de caractère faible, vers lesquels il allait, sitôt qu'il les avait aperçus, avec des gestes qui commandaient; et il se mettait à discourir en maître parmi eux, le verbe haut et assuré.

En récréation il ne jouait jamais. Dédaigneux, semblait-il, de la force et de l'agilité, il passait au milieu des parties engagées sans le moindre signe d'attention; mais si une discussion venait à s'élever, elle ne lui échappait point et aussitôt il s'arrêtait, quel que fût le sujet, l'œil en éveil; on devinait qu'il brûlait de donner son avis, comme s'il avait possédé un trop-plein d'argumentation.

Il recherchait surtout la compagnie des professeurs. Lorsque le roulement de tambour annonçait la brève pause qui coupe les classes et que tous nous nous précipitions dehors, il n'était pas rare qu'il s'approchât de la chaire d'une manière insinuante; et ayant soumis habilement une question au professeur, il se mettait à causer avec lui. Puis, il nous regardait rentrer, du haut de l'estrade, avec un air de fierté. Je l'admirais à ces moments, pensant combien à sa place j'eusse été gêné.

On ne tarda pas à s'apercevoir que Silbermann était non seulement capable de rester en troisième, mais qu'il prendrait rang probablement parmi les meilleurs élèves. Ses notes, dès le début, furent excellentes et il les mérita autant par son savoir que par son application. Il paraissait doué d'une mémoire singulière et récitait toujours ses leçons sans la moindre faute. Il y avait là de quoi m'émerveiller, car, élève médiocre, j'avais une peine particulière à retenir les miennes. J'étais d'une insensibilité totale devant tout texte scolaire; les mots sur les livres d'étude avaient à mes yeux je ne sais quel vêtement gris, uniforme, qui m'empêchait de distinguer entre eux et de les saisir.

Un jour, pourtant, le voile se déchira, une lumière nouvelle fut jetée sur les choses que j'étudiais; et ce fut grâce à Silbermann.

C'était en classe de français. La leçon apprise était la première scène d'*Iphigénie*. Silbermann, interrogé, se leva et commença de réciter :

Oui, c'est Agamemnon, c'est ton roi qui t'éveille,
Viens, reconnais la voix qui frappe ton oreille.

Il ne débita point les vers d'une manière soumise et monotone, ainsi que faisaient la plupart des bons élèves. Il ne les déclama pas non plus avec emphase; sa diction restait naturelle. Mais elle était si assurée et on y distinguait des subtilités si peu scolaires qu'elle nous surprit tous. Quelques-uns sourirent. Moi, je l'écoutais fixement, frappé par une soudaine découverte. Ces mots assemblés, que je reconnaissais pour les avoir vus imprimés et les avoir mis bout à bout, mécaniquement, dans ma mémoire, ces mots formaient pour la première fois image en mon esprit. Je m'avisais qu'ils étaient l'expression de faits réels, qu'ils avaient un sens dans la vie courante. Et à mesure que Silbermann poursuivait et que j'entendais le son de sa voix, des idées germaient dans ma tête d'un terrain jusqu'alors aride; les scènes d'*Iphigénie* se composaient, scènes positives, qui ne ressemblaient nullement à celles que j'avais vues au théâtre, entre des toiles peintes et sous un éclairage artificiel. J'avais la vision d'un rivage où se trouvait dressé un camp; les flots, qu'aucun vent n'agitait, glissaient doucement sur le sable; et là, parmi des tentes à peine distinctes dans le petit jour et d'où nul bruit ne venait, deux hommes dont le front était soucieux s'entretenaient.

Je n'avais pas cru jusqu'ici que cette représentation vivante et sensible d'une tragédie classique fût possible. Voir remuer un marbre ne m'eût pas moins ému. Je regardai celui qui avait fait jouer les choses pour moi. Silbermann avait dépassé la limite et cependant il continuait de réciter. Son œil pétillait; sa lèvre était légèrement humide, comme s'il avait eu en bouche quelque chose de délectable.

Entendant quelques élèves protester contre l'empressement excessif de Silbermann, le professeur l'interrompit et le félicita. Silbermann s'assit. Il était heureux ; je le remarquai à un petit souffle qui faisait palpiter ses narines. Mais ce souffle, me demandai-je, n'est-ce pas plutôt l'âme d'un génie mystérieux qui habite en lui ? Cette idée plut à mon imagination puérile, qui était encore près du fantastique ; et comme je le contemplai longuement au point d'être fasciné, il me fit songer, avec son teint jaune et sous le bonnet noir de ses cheveux frisés, au magicien de quelque conte oriental qui détient la clef de toutes les merveilles.

Nous nous adressâmes la parole quelques jours plus tard, un dimanche matin, en des circonstances dont j'ai bien gardé la mémoire.

J'avais été au temple avec ma mère ; puis, à la sortie, je l'avais laissée. Je ressentais toujours quelque exaltation après le service religieux ; mais cette exaltation, je trouvais délicieux de l'user à des choses profanes. J'aimais me promener seul, dans le Bois, et, encore ému par le bourdonnement grave de l'orgue, excité par l'allégresse des cantiques, j'aimais me livrer, en cet état d'ivresse spirituelle, à une activité tout animale : courir, bondir à travers les buissons, aspirer l'odeur de la terre et des feuilles, me laisser toucher par les vivants effluves de la nature. Puis, ayant levé par hasard les yeux vers le ciel, je m'arrêtais, non pas calmé mais comme frappé d'amour. La vue d'un nuage voguant dans l'azur avait réveillé ensemble mon cœur et mon imagination. Tout frémissant, je soupirais vers un sentiment très doux, de qualité très noble, et je rêvais aux aventures où il m'entraînerait. Le plus souvent, ce sentiment se cristallisait sous la forme d'une amitié, où se mêlaient indistinctement une alliance mystique, une entente intellectuelle et un dévouement de toute ma chair.

J'éprouvais cette disposition confuse, ce matin-là, au Ranelagh, lorsque je vis avancer, dans la même allée, Silbermann. Il était seul. Il marchait à pas courts et précipités, remuant fréquemment la tête; il semblait plein de pensées inquiètes; on l'eût dit poursuivi. Il m'aperçut de loin mais n'en montra rien et ouvrit un livre qu'il avait à la main. Au moment qu'il allait passer, il leva vers moi des yeux incertains, esquissa un sourire, puis, comme je lui répondis par un bonjour très cordial, changea brusquement de physionomie, accourut et exprima sa joie de la rencontre.

— Tu habites donc par ici? Et où cela?

Il voulut connaître le nom de la rue, le numéro de la maison, me questionna sur mes habitudes, sur ma famille, et enveloppa cette enquête de manières si naturelles et si amicales que j'eus plaisir à répondre, malgré ma retenue ordinaire.

— De quel côté allais-tu? ajouta-t-il. Veux-tu que je t'accompagne?

J'acceptai. Il me montra son livre.

— C'est une édition ancienne de Ronsard.

Je viens de l'acheter, dit-il en caressant la jolie reliure de ses doigts qui étaient maigres et bruns.

Il l'ouvrit et se mit à me lire quelques vers. J'eus la même impression qu'en classe. Le texte lu par lui semblait baigner dans une source qui m'en donnait fortement le goût. Les mots avaient une qualité nouvelle : ils flattaient mes sens; émotion ignorée, sorte de frisson dans mon cerveau. Mais de Silbermann lui-même que dire et comment dépeindre sa figure? Il lut ces vers :

> Fauche, garçon, d'une main pilleresse
> Le bel émail de la verte saison,
> Puis à plein poing enjonche la maison
> Des fleurs qu'avril enfante en sa jeunesse.

Ses narines se dilatèrent, comme piquées par l'odeur des foins, et des larmes de plaisir emplirent ses yeux.

Nous étions arrivés à l'angle d'une pelouse où est érigée une statue de La Fontaine. Silbermann s'écria en la désignant :

— Est-ce assez laid, ce buste que couronne une Muse? Et ce groupe d'animaux, le lion, le renard, le corbeau, quelle composition banale! Chez nous on ne connaît que cette façon de glorifier un grand homme. Et pourtant il y en a d'autres. Ainsi, l'été dernier, j'ai été à Weimar et j'ai visité la maison de Gœthe. On l'a conservée intacte. On n'a pas déplacé un objet dans sa chambre depuis la minute de sa mort. Dans la ville, on montre — et avec quel respect! —

le banc sur lequel il s'asseyait, le pavillon où il allait rêver. Je t'assure que de tels souvenirs ont de la grandeur. En France, on ne voit rien de pareil. Il y a quelques années, on a fait une vente au château de Saint-Point, en Bourgogne, où Lamartine a vécu. Eh bien, mon père a pu acheter beaucoup d'objets qui avaient appartenu à Lamartine; et, soit dit en passant, l'achat de ces reliques a été pour lui une très bonne affaire.

Nous étions toujours devant la statue.

— Est-ce que tu aimes La Fontaine? me demanda-t-il.

Et comme cette question me laissait embarrassé, il reprit avec vivacité :

— Mon cher, c'est bien simple : La Fontaine est notre plus grand peintre de mœurs. Dans ces fables qu'on nous fait ânonner, il a dépeint son siècle. Louis XIV et la cour, la bourgeoisie et les paysans de son temps, voilà ce qu'il faut voir derrière les divers animaux. Et alors, comme l'anecdote prend de la valeur! Combien il est audacieux dans sa moralité! C'est ce que Taine a très bien compris... Tu as lu *La Fontaine et ses fables*?

Je fis signe que non.

— Je te le prêterai.

Je ne répondis rien. J'étais étourdi. Ce garçon qui possédait des livres rares, qui distinguait avec assurance : « ceci est beau... cela ne l'est pas »; qui avait voyagé, lu, observé, retenu des exemples, jetait dans mon esprit tant de notions admirables que cette profusion me confondait. Je tournai les yeux vers lui. Qu'il fût supérieur à tous les camarades que j'avais, cela était évident et je n'en doutais pas ; mais je jugeais encore que je n'avais rencontré ni dans ma famille ni parmi notre milieu quelqu'un qui lui fût comparable. Ce goût si vif pour les choses de l'intelligence et cette façon si pratique de les présenter, cette adresse pour mettre à portée de main ce qui est élevé, étaient pour moi des qualités vraiment neuves. Et cette parole forte et aimable à la fois, qui imposait en même temps qu'elle charmait, qui donc s'en trouvait doué dans mon entourage ?

Il n'avait pas cessé de parler, citant des noms d'écrivains et des titres d'ouvrages.

J'avais un immense respect pour tout ce qui touchait à la littérature. Je plaçais certains écrivains qui avaient éveillé mon admiration au-dessus de l'humanité entière, à l'image des divinités de l'Olympe. Silbermann m'instruisait de bien des faits que j'ignorais, discourant facilement de l'un et de l'autre. Il me révéla finalement que son dieu était le « père Hugo ». Je l'écoutais avec avidité. Cependant, fut-ce cette familiarité, fut-ce l'éclat de sa voix ou la couleur un peu étrange de son teint ? je ne sais, mais j'eus à ce moment la vision d'une scène qui amena un léger recul de ma part. Souvent, à Aiguesbelles, un marchand de fruits, un Espagnol à la peau basanée, passait sur la route et arrêtait sa charrette devant le mas, criant bizarrement sa marchandise et maniant sans délicatesse les belles pommes écarlates, les pêches tendres et poudrées, les prunes lisses et glacées. Or, Célestine, notre cuisinière, n'aimait pas cet homme « venu on ne sait d'où », disait-elle, et lorsqu'elle avait eu affaire avec lui, on l'entendait maugréer en revenant :

— C'est malheureux de voir ces beaux fruits touchés par ces mains-là.

Silbermann, ignorant ce petit mouvement instinctif, poursuivit :

— Si les livres t'intéressent, tu viendras un jour chez moi, je te montrerai tout ce que tu voudras.

Je le remerciai et acceptai.

— Alors quand veux-tu venir? dit-il aussitôt. Cet après-midi, es-tu libre?

Je ne l'étais point. Il insista.

— Viens goûter jeudi prochain.

Il y eut dans cet empressement quelque chose qui me déplut et me mit sur la défensive. Je répondis que nous conviendrions du jour plus tard; et comme nous étions arrivés devant la maison de mes parents, je lui tendis la main.

Silbermann la prit, la retint, et me regardant avec une expression de gratitude, me dit d'une voix infiniment douce :

— Je suis content, bien content, que nous nous soyons rencontrés... Je ne pensais pas que nous pourrions être camarades.

— Et pourquoi? demandai-je avec une sincère surprise.

— Au lycée, je te voyais tout le temps avec Robin; et comme lui, durant un mois, cet été, a refusé de m'adresser la parole, je croyais que toi aussi... Même en classe d'anglais où nous sommes voisins, je n'ai pas osé...

Il ne montrait plus guère d'assurance en disant ces mots. Sa voix était basse et entrecoupée; elle semblait monter de régions secrètes et douloureuses. Sa main qui continuait d'étreindre la mienne, comme s'il eût voulu s'attacher à moi, trembla un peu.

Ce ton et ce frémissement me bouleversèrent. J'entrevis chez cet être si différent des autres une détresse intime, persistante, inguérissable, analogue à celle d'un orphelin ou d'un infirme. Je balbutiai avec un sourire, affectant de n'avoir pas compris :

— Mais c'est absurde... pour quelle raison supposais-tu...

— Parce que je suis Juif, interrompit-il nettement et avec un accent si particulier que je ne pus distinguer si l'aveu lui coûtait ou s'il en était fier.

Confus de ma maladresse, et voulant la réparer, je cherchai éperdument les mots les plus tendres. Mais dans ma famille, on ne m'avait guère enseigné la tendresse. Le gage d'amour que l'on offrait dans les circonstances graves était le sacrifice; et seule l'intervention de la conscience donnait du prix à un acte. Aussi, ayant reculé d'un pas tout en conservant la main de Silbermann, je lui dis solennellement :

— Je te jure, Silbermann, que désormais je ferai pour toi tout ce qui sera en mon pouvoir.

Ce même jour, je passai l'après-midi chez Philippe Robin.

A la fin de la journée, l'oncle de Philippe, Marc Le Hellier, se trouva là. Il aimait beaucoup son neveu; il le traitait en homme et non en écolier, ce qui flattait Philippe. Il lui répétait que rien n'était plus absurde que l'éducation donnée dans les lycées, qu'un assaut d'escrime développait mieux le cerveau qu'aucune étude, et que savoir appliquer un coup de poing au bon endroit était plus utile dans la vie que tout ce que l'on nous enseignait en classe.

Il reprit ce thème en voyant sur la table de Philippe les gros manuels scolaires. Il fit, du revers de la main, le geste de les pousser à terre. Philippe rit aux éclats. Je songeai au mouvement de Silbermann caressant le volume de Ronsard et à la ferveur qui brûlait en lui lorsqu'il récitait une poésie.

— Sais-tu où j'ai été tout à l'heure, Philippe? dit Marc Le Hellier. Aux *Français de France,* dont c'était la première assemblée depuis la rentrée. Ah! elle ne marche pas mal, notre ligue. Près de cinq cents adhérents nouveaux en trois mois. Maintenant nous pouvons agir.

Philippe faisait une mine fort intéressée. Son oncle l'avait attiré à soi, lui tâtait les bras, et je voyais que Philippe gonflait orgueilleusement ses biceps.

— Et d'abord, continua Le Hellier, nous organisons une campagne contre les Juifs, qui sera menée avec soin et intelligence, je te prie de le croire. Pas seulement des manifestations dans la rue, comme on s'est contenté de faire jusqu'ici. Non : nous établissons des fiches, des dossiers; et comme, vois-tu, à la base d'une fortune juive il y a généralement quelque canaillerie, nous suivrons pas à pas chaque youpin suspect, et au moment propice, vlan! nous lui casserons les reins.

Il fit de la main un geste coupant. Sous la moustache rousse, très épaisse, mais taillée court, la lèvre supérieure se retroussa et découvrit, aux coins, des canines fortes.

Je n'aimais guère cet homme, qui par les goûts violents qu'il tentait de communiquer à Philippe éloignait de moi mon ami. Mais, ce jour-là, ce fut avec un vrai malaise que j'écoutai ces propos. Il me semblait entendre au loin la plainte de Silbermann : « Je croyais que tu refuserais de me parler... je n'ai pas osé... »

Aussi, comme l'oncle de Philippe poursuivait sur le même sujet et que Philippe, les yeux brillants, lui témoignait la plus vive attention, je me levai bientôt et partis.

L'appel de Silbermann à ma pitié m'avait touché profondément. Toute la soirée, je songeai à lui, me sentant bien plus attiré que lorsque j'étais seulement ébloui par ses dons merveilleux. Je me ressouvenais de ses yeux craintifs, le premier jour; je m'expliquais son hésitation à m'aborder le matin; et ces images, qui le représentaient parmi nous comme un déshérité, me navraient.

Dans ma chambre, machinalement, je

pris un de mes cahiers et l'ouvris aux dernières pages. C'était là, sur des feuilles barbouillées, qu'on aurait pu pénétrer mes secrets; c'était là qu'il m'arrivait de commencer une confession, d'écrire à un ami imaginaire, de griffonner des prénoms féminins. Puis, lorsque je m'apercevais de la puérilité de ces choses, ou, rougissant de honte, de la rêverie trouble où elles m'avaient entraîné, je me hâtais de recouvrir d'encre tout mon travail.

Je me mis à écrire à Silbermann. Je l'assurai qu'il avait eu bien tort de croire que j'agirais avec lui ainsi que Robin, car je n'avais aucun sentiment hostile contre sa race. Je lui glissai d'ailleurs que j'étais de religion protestante. J'ajoutai que toute la journée j'avais pensé à notre rencontre et que ma conscience n'oublierait pas le serment d'amitié que j'avais prononcé en nous séparant.

Je ne comptais pas lui donner cette lettre. Toutefois, le lendemain, au lycée, lorsqu'il accourut vers moi, débordant d'intentions affectueuses, j'arrachai brusquement la page de mon cahier, la pliai et la lui remis.

Je passai la récréation suivante avec Robin. A ma grande gêne, je vis Silbermann approcher de nous. Il me dit à voix très haute :

— Alors c'est entendu, je compte sur toi jeudi.

Et il s'en alla.

Philippe me regarda, surpris.

— Vous sortez ensemble jeudi? Comment le connais-tu?

Devenu très rouge, j'expliquai que je l'avais rencontré et qu'il m'avait proposé des livres.

— Tu sais que son père, qui est un marchand d'antiquités, est un voleur. Mon oncle Marc me l'a dit.

Cet avertissement était énoncé d'un ton sec. Je fis un geste vague. Nous parlâmes d'autre chose.

Ce qui arriva le lendemain fut comme le présage des temps troublés qui devaient suivre.

C'était le jour de la Sainte-Barbe. A cette date, les élèves qui se préparaient aux hautes écoles de sciences organisaient un tapage quasi toléré par leurs maîtres. Les classes inférieures ne s'y mêlaient guère. Pourtant cela suscitait dans tout le lycée quelque effervescence.

Cette année, le tumulte fut grand. Comme la classe de l'après-midi finissait, la lumière d'un feu de Bengale incendia brusquement la cour, puis s'éteignit, tandis que des clameurs et des chants éclataient. Un instant après une forte détonation nous fit sursauter. Une sourde excitation se manifesta sur nos bancs. Moi, je regardais peureusement les vitres sombres, répugnant à ce désordre et à cette sauvagerie. Le tambour roula. Les élèves se ruèrent vers la porte en criant; et l'un d'eux, je ne sais qui, passant devant Silbermann le rejeta en arrière, hurlant férocement à sa face :

— Mort aux Juifs!

III

Les parents de Silbermann habitaient dans
une belle maison nouvellement construite
en bordure du Parc de la Muette. L'appar-
tement, situé au dernier étage, était fort
grand. Silbermann m'en fit les honneurs,
m'arrêtant devant de magnifiques meubles
de marqueterie et faisant jouer l'éclairage
au-dessus des tableaux. Je n'avais jamais
pénétré dans une maison contenant tant de
richesses. L'impression fut telle que, des
rayons de soleil entrant par les fenêtres, je
crus à des voiles d'or jetés sur les objets. Je
regardai par ces fenêtres. On n'apercevait
que des arbres hauts et superbes, ceux du
Parc de la Muette, puis, au loin, une ligne
ondulée de coteaux, la campagne... Perspective que l'on peut avoir d'un château. Je
passais en silence, ne pouvant rien dire tant
le sentiment de mon humilité était profond.
Je songeai au cabinet de travail de mon
père, étroit et sévère, donnant sur une cour,
et au petit salon de ma mère, où des meubles
anciens, mais bien rustiques, choisis à
Aiguesbelles, faisaient le plus bel ornement.

Heureusement, Silbermann, qui d'ailleurs me montrait ces choses aussi simplement qu'on pouvait le faire, ne prolongea pas ma gêne et me conduisit à sa chambre. L'aspect était bien différent, et j'éprouvai un petit mouvement de satisfaction à dire au-dedans de moi-même : « J'aime mieux la mienne. »

En effet, la pièce était si modeste qu'on eût pu douter qu'elle fît suite à celles que je venais de visiter. Et, à l'examiner, je m'avisai que ma mère, à coup sûr, eût peiné de ses mains plutôt que de me laisser dormir parmi le désordre que je remarquais ici.

Silbermann me désigna la bibliothèque qui garnissait presque tout un pan de mur.

— Voilà, dit-il.

Il y avait des livres de haut en bas. Il y en avait de somptueusement reliés et il y en avait d'autres, brochés, tout écornés par l'usage.

Je m'exclamai avec admiration :

— C'est à toi? Tu as lu tout cela?

— Oui, dit Silbermann avec un petit sourire orgueilleux. — Et il ajouta : Je suis sûr que tous les Saint-Xavier réunis n'en ont pas lu la moitié, hein?

Il me les montra en détail, prenant certains exemplaires avec précaution et m'expliquant ce qui faisait leur rareté. Il en ouvrit plusieurs et, avec une sûreté et un choix qui me parurent extraordinaires, il me lut quelques passages. Il s'interrompait parfois, les yeux humides, disant : « Est-ce beau? Écoute ceci encore... »

Il était surtout sensible à la forme ou plutôt au mot qui fait l'image; il le faisait ressortir d'un geste de ses doigts réunis, comme si les beautés de l'esprit eussent été pour lui matière traitable qu'il voulût modeler.

Le livre, la pensée écrite, exerçait sur moi un attrait irrésistible. Aussi, devant cette bibliothèque (si différente de celle de mon père, laquelle était composée surtout d'ouvrages ne touchant pas l'imagination) je feuilletais ces volumes avec émotion et pressais Silbermann de questions. Il avait l'art de qualifier en une phrase le sujet d'une œuvre, de réduire celle-ci sous une formule commode.

— *Les Misérables?...* répondit-il à une de mes questions. C'est l'épopée du peuple.
— Puis : Tiens, voici le vocabulaire de la langue française.

Et il me tendit un petit volume au dos duquel je lus : *Œuvres de Paul-Louis Courier.*

Ces vastes connaissances et cette promptitude de jugement me remplissaient d'admiration. Silbermann devina ce sentiment. Il sourit et me dit :

— Prends ce que tu veux. Tu pourras venir ici aussi souvent qu'il te plaira.

Nous restâmes longtemps à causer. Il me donna des conseils à propos de mes études. Nous parlâmes de nos compagnons de classe; et il en railla quelques-uns qui passaient pour des sots et qu'il imita drôlement. Un mot qu'il semblait adorer revenait souvent dans sa conversation : « l'intelligence ». Et il le prononçait avec un sentiment si impétueux qu'on voyait apparaître à ses lèvres une petite bulle d'écume.

Je l'entretins de plusieurs livres que j'avais lus. Sur chacun il me donna des aperçus nouveaux pour moi. Nous étions assis l'un auprès de l'autre. Sa voix avait des inflexions si persuasives que par moments je me sentais dominé par lui aussi bien que s'il eût posé sa main sur ma tête.

Je fus présenté à sa mère. Elle allait sortir et était couverte d'un long manteau de fourrure. Je n'aperçus de son visage que des yeux noirs et allongés, des lèvres très rouges qui ne cessèrent de sourire. Elle reprocha à son fils de me tenir dans cette chambre au lieu d'un des salons. Elle me pria de venir déjeuner, fixa le jour et disparut, m'ayant flatté par son air élégant et sa complaisance.

Avant de partir, j'allai choisir quelques livres dans la bibliothèque de Silbermann. En déplaçant une rangée, je vis, cachée derrière, une collection de journaux. Mon regard tomba sur le titre : *La Sion future.*

Ce fut à ce moment que se déclara au lycée l'hostilité contre Silbermann.

Il avait été deux fois premier lors des compositions. Ce succès avait suscité des jalousies parmi les rangs des bons élèves. Et comme il lui échappait quelquefois une ironie méprisante à l'adresse des cancres, il n'y avait pas moins d'animosité contre lui aux autres degrés de la classe.

Les choses commencèrent par des taquineries assez innocentes lorsque Silbermann se mettait à pérorer et à gesticuler. Silbermann aggrava ces taquineries et les fit persister par sa façon de tenir tête et sa manie « d'avoir le dernier »; elles furent un peu encouragées par l'insouciance de la plupart de nos professeurs qui, malgré ses bonnes places, n'aimaient pas Silbermann. On s'en aperçut bien le jour où l'un d'eux, irrité de le voir venir trop souvent près de sa chaire, le renvoya avec une phrase brusque et cinglante que tout le monde entendit.

Bientôt, pendant les récréations, ce fut un amusement courant d'entourer Silbermann, de se moquer de lui et de le houspiller. Sitôt qu'il apparaissait :

— Ah! voilà Silbermann, disait-on. Allons l'embêter.

On le bousculait, on prenait sa casquette, on faisait tomber ses livres. Silbermann ne se défendait pas mais il ripostait d'un trait qui, le plus souvent, frappait juste et exaspérait l'assaillant.

Au début, ces petits succès de parole lui procuraient tant de plaisir qu'il en oubliait les brimades; et même allait au-devant. Mais comme la répétition de ces scènes et aussi son physique bizarre lui valurent d'être en butte, dans la cour, à la curiosité générale, je crus m'apercevoir qu'il commençait à en souffrir. Enfin, peu après, les Saint-Xavier venant s'y mêler, le jeu prit le caractère d'une persécution.

Les Saint-Xavier ne prenaient point part, si l'on peut dire, à la vie de notre lycée. Grands seigneurs obligés de passer par un lieu indigne d'eux, ils jugeaient inutile d'entrer en relations avec des voisins de hasard. Chaque petite escouade se dirigeait vers sa place, affectant de ne rien voir et de ne rien entendre. Leur attitude vis-à-vis des professeurs était généralement correcte, jamais zélée; leurs vrais maîtres, ils les retrouvaient en sortant. Et même, en classe, le visage d'un garçon tel que Montclar trahissait parfois un sentiment pire que l'indocilité, comme s'il y eût un ancien compte à régler entre lui et l'homme qui instruit.

Ce fut Montclar qui donna une direction nouvelle aux vexations envers Silbermann. Le premier, il l'attaqua au sujet des caractères physiques de sa race et des pratiques de sa religion. Montclar n'avait pas d'esprit mais une sorte de fougue cruelle qui matait Silbermann.

Les autres, peut-être de convictions plus molles, mais flattés par la présence de Montclar au milieu d'eux, le suivirent dans cette voie. On ne laissa plus échapper une occasion d'outrager Silbermann. Ainsi, tant que dura l'étude d'*Esther,* il dut supporter de voir, à chaque trait touchant les Juifs, vingt faces malignes tournées vers lui.

Il n'était pas le seul Juif dans notre classe, mais on ne s'en prenait pas aux autres. Ceux-ci étaient au nombre de deux : Haase, le fils du banquier dont on savait que la sœur avait épousé un d'Anthenay, et Crémieux, dont le père était député. Aucun n'avait un type sémite aussi marqué que Silbermann. Haase tentait d'effacer le sien par des modes britanniques : une coiffure qui défrisait et aplatissait ses cheveux, une prononciation guindée. Tous deux semblaient se placer au-dessus de Silbermann.

Ce fut une grande peine pour moi de voir Philippe se joindre aux persécuteurs. Je savais bien qu'il se plaisait aux jeux un peu violents; je savais aussi que la façon d'agir d'un Montclar ou d'un La Béchellière n'était pas sans le guider; mais son bon cœur l'empêchait toujours de commettre une action qui pût nuire à un autre. Je ne m'expliquais pas cette haine instinctive et opiniâtre, telle que s'il avait senti ses biens et sa vie en péril.

Je me rendis chez Silbermann pour déjeuner. Je fus présenté à son père. C'était un homme d'aspect un peu lourd. Un accent étranger embarrassait sa parole. Des yeux sans vie, une chair jaunâtre, une barbe inculte, un gros nez, de grosses lèvres, donnaient à sa figure une expression stupide et comme endormie. Mais par moments il intervenait d'un mot qui montrait que son esprit veillait.

Mme Silbermann avait un assez joli visage aux traits fins, ainsi qu'il m'avait paru au premier abord. Toutefois, son sourire était si charmant, si jeune et si répété qu'il communiquait à la longue un peu de fausseté à sa physionomie. Ses gestes étaient menus et vifs; mais une sorte de renflement charnu au-dessous de la nuque la privait de grâce dans beaucoup de ses attitudes.

Silbermann n'avait pas vis-à-vis de ses

parents la situation d'un fils, ou du moins cette situation était bien éloignée de celle que j'occupais en face des miens. On lui demandait son avis; il avait le droit d'interroger, de contredire, et ne se privait pas de la discussion. On eût dit un jeune roi. D'autre part, Mme Silbermann semblait rester étrangère aux occupations de son mari. Tout cela était si extraordinaire par rapport à l'usage établi chez moi, que ces trois êtres me parurent unis moins par les liens de la famille que par ceux d'une association ou, si l'on veut, par les lois d'une même tribu.

Je fus accueilli par eux avec une considération à laquelle je n'étais point accoutumé. M. Silbermann me demanda comment se portait mon père, « le grand magistrat ». Mme Silbermann m'apprit qu'elle avait souvent aperçu ma mère à des ventes de charité. Ces propos déplurent à leur fils qui les interrompit. Il fut même plus brusque ensuite. Nos projets d'avenir étant en question, il déclara que, pour sa part, il suivrait la carrière des lettres. Tandis que sa mère approuvait ce dessein dont elle était flattée, me sembla-t-il, son père, secouant la tête, dit avec bonhomie :

— Non, non, David, ce n'est pas sérieux.

— Que veux-tu! papa — s'écria Silbermann avec vivacité — je ne pourrai jamais m'occuper des mêmes affaires que toi : cela ne m'intéresse pas.

— Oh! Les antiquités, dit doucement M. Silbermann, il ne doit plus y avoir grand-chose à faire là-dedans, maintenant que les gens du monde se font marchands. Mais il y a d'autres bons commerces. Moi, si j'avais vingt ans, je partirais pour l'Amérique avec un stock de perles.

Son fils ne dissimula pas une expression de mépris.

Après le déjeuner, il m'offrit de m'emmener au théâtre. Je montrai peu d'empressement, car lorsque j'étais avec lui je n'aimais rien tant que l'écouter parler. Et nous fûmes nous promener au Bois.

Tout de suite, je mis la conversation sur le sujet qui m'intéressait le plus : la littérature. C'était pour moi un domaine analogue à ces contrées quasi fabuleuses qui vous attirent obscurément et dont on rêve devant l'atlas. Silbermann, lui, en avait parcouru toute l'étendue; il connaissait les points de vue les mieux situés, m'y entraînait et m'aidait à distinguer le détail qui fait que le paysage est beau. Parfois, prenant mon bras, il m'arrêtait, et comme il se serait écrié : « Regarde cette rivière argentée, regarde cette chaîne de montagnes », il me récitait deux vers ou une phrase magnifique. Alors je me sentais transporté et j'eusse désiré qu'il continuât toujours. Et de même qu'au voyageur qui m'eût décrit les Pyramides, j'eusse impatiemment demandé ensuite : « Et le Nil? » je demandais, lorsque Silbermann m'avait instruit de tout ce qu'il savait sur un écrivain : « Et Vigny?... Et Chateaubriand?... » Alors il repartait, l'esprit aussi vif, aussi sûr, jamais lassé, explorateur dont la mémoire et et l'enthousiasme étaient sans défaillance.

Après avoir marché longtemps, au hasard de nos pas, nous arrivâmes au bord d'un petit lac.

— Chateaubriand, Hugo... murmura rêveusement Silbermann, être l'un d'eux! Posséder leurs dons, jouer leur rôle, voilà ce que je voudrais.

« Ah! non, reprit-il, je n'ai pas l'intention de vendre des meubles ou des perles. Mon ambition est autre. Toutes mes facultés, tout ce que j'ai ici — dit-il en se frappant le front — je veux le mettre au service de la littérature. »

Puis, baissant le ton :

— Si on savait cela, peut-être me tourmenterait-on moins?...

Il faisait allusion aux mauvais traitements qu'il subissait au lycée. Je sentis combien il en souffrait. Je cherchai un sujet qui détournât sa pensée et regardai alentour.

Nous étions seuls. La journée, qui était une des dernières de l'automne, était froide et triste. Une lourde nuée couvrait le ciel. L'eau du lac, toute sombre, frissonnait. Les arbres étaient dépouillés; seule persistait la verdure d'un bouquet de sapins; et ce feuillage pauvre et opiniâtre, cerné par des bois morts, éveillait l'idée d'une vie misérable et éternelle.

Nous fîmes halte.

— Écoute — me dit Silbermann d'une voix dont le timbre était devenu un peu rauque. — Mon père s'est établi en France il y a trente ans. Son père avait vécu en Allemagne et il venait de Pologne. Plus haut, des autres, je ne sais rien, sinon qu'ils ont dû vivre honteux et persécutés, comme tous ceux de leur race. Mais je sais que moi, je suis né en France, et je veux y demeurer. Je veux rompre avec cette vie nomade, m'affranchir de ce destin héréditaire qui fait de la plupart d'entre nous des vagabonds.

« Oh! je ne renie pas mon origine — affirma-t-il avec ce petit battement de narines qui décelait chez lui un mouvement d'orgueil — au contraire : être Juif et Français, je ne crois pas qu'il y ait une condition plus favorable pour accomplir de grandes choses. — Il leva prophétiquement un doigt. — Seulement, le génie de ma race, je veux le façonner selon le caractère de ce pays-ci; je veux unir mes ressources aux vôtres. Si j'écris, je ne veux pas que l'on puisse me reprocher la moindre marque étrangère. Je ne veux pas entendre, sur rien de ce que je produirai, ce jugement : " C'est bien juif. " Alors, vois-tu, mon intelligence, ma ténacité, toutes mes qualités, je les emploie à connaître et à pénétrer ce patrimoine intellectuel qui n'est pas le mien, mais qui, un jour, sera peut-être accru par moi. Je veux me l'approprier. »

Il scanda ce mot et du pied frappa le sol.

— Est-ce impossible? Ces choses, ne puis-je les comprendre aussi bien que Montclar ou Robin? Est-ce que je ne les admire pas plus qu'ils ne les admirent, dis-moi? Et à qui fais-je tort? Il n'y a aucun calcul secret, il n'y a aucun mobile égoïste dans mon ambition. Alors pourquoi ne veut-on pas de moi? Pourquoi m'accueillir par de la haine?

Comme il parlait, je regardais fixement devant moi. Et son accent avait une telle portée que, sur le fond rigoureux de ce paysage d'automne, il me semblait voir se succéder tout ce que je savais des vicissitudes d'Israël.

Je voyais un petit lac de Judée, pareil à celui-ci, des bords duquel, un jour, des Juifs étaient partis. J'avais la vision de ces Juifs à travers les âges, errant par le monde, parqués dans la campagne sur des terres de rebut ou tolérés dans les villes entre certaines limites et sous un habit infamant. Opprimés partout, n'échappant au supplice qu'en essuyant l'outrage, ils se consolaient du terrible traitement infligé par les hommes en adorant un dieu plus terrible encore. Et au bout de ces générations chargées de maux, je voyais, réfugié auprès de moi, Silbermann. Chétif, l'œil inquiet, souvent agité par des mouvements bizarres comme s'il ressentait la peine des exodes et de toutes les misères endurées par ses ancêtres, il souhaitait se reposer enfin parmi nous. Les défauts que les persécutions et la vie grégaire avaient imprimés à sa race, il désirait les perdre à notre contact. Il nous offrait son amour et sa force. Mais on repoussait cette alliance. Il se heurtait à l'exécration universelle.

Ah! devant ces images fatales, en présence d'une iniquité si abominable, un sentiment de pitié m'exalta. Il me parut que la voix de Silbermann, simple et poignante, s'élevait parmi les voix infinies des martyrs.

Il dit :

— Demain je serai insulté, frappé... Est-ce juste?

Et il mettait en avant ses deux paumes désarmées, ainsi qu'est représentée la personne du Christ au milieu de ses ennemis.

IV

Cette scène me troubla fortement. La
nuit qui suivit, je songeai, moitié éveillé,
moitié rêvant, aux images bibliques qu'elle
avait fait apparaître. Au matin, j'eus le
sentiment qu'un devoir m'était dicté : réparer l'injustice des hommes à l'égard de
Silbermann. Il me fallait non seulement
l'aimer, mais prendre son parti contre tous,
si difficile et si ingrate que fût l'entreprise.
D'ailleurs ses ennemis principaux n'étaient-
ils pas les Saint-Xavier et n'avais-je pas
toujours ressenti envers ceux-ci, Philippe
Robin excepté, une inimitié naturelle ?

Je décidai de parler à Philippe afin de le
détacher des adversaires de Silbermann.

Le jour même, j'allai le trouver. Je lui
exposai combien étaient cruels les mauvais
traitements infligés à Silbermann. « Je sais
qu'il en souffre beaucoup », ajoutai-je. Et
j'en appelai au bon cœur de Philippe pour
qu'il les fît cesser.

Philippe m'avait écouté attentivement
mais avec froideur.

— Moi aussi, répliqua-t-il, j'ai quelque

chose à te dire à ce sujet. Il m'est très désagréable de voir un de mes amis se lier avec
ce garçon.

— Et pourquoi? demandai-je.

— Pourquoi?... Parce qu'il est Juif.

C'était bien la raison énoncée par Silbermann. Philippe avait articulé durement ces
quelques mots. On sentait que pour lui
l'argument était décisif.

Cependant, cherchant une parole d'adou-
cissement, j'esquissai un geste d'insouciance.

— Oh! je sais... reprit Philippe. Il se peut
que pour vous autres cela n'ait pas d'importance.

Ce ton supérieur et cette allusion à ma
religion me blessèrent au vif.

— C'est que *nous autres,* ripostai-je d'une
voix vibrante, nous ne falsifions pas la
parole de Dieu.

Philippe haussa légèrement les épaules.

— En tout cas, affirma-t-il, il faut choisir
entre lui et moi.

Dans l'instant, je songeai à tout ce que
comportait l'amitié de Philippe : un sentiment doux et bien réglé, des joies faciles et
approuvées... Devant ces images aimables,
je fus près d'abandonner Silbermann. Mais,
de l'autre côté, se présentait une tâche
ardue; j'entrevis une destinée pénible; et
exalté par la perspective du sacrifice, je
répondis d'un souffle irrésistible :

— Lui.

Nous nous séparâmes.

Dès lors, je me dévouai entièrement à Silbermann. A chaque récréation, je me hâtais de le rejoindre, espérant le protéger par ma présence. Heureusement, l'hiver venu, sa situation s'adoucit un peu. En raison du froid, nous restions dans les classes, où l'on n'osait rien contre lui; et le soir, à la sortie, il s'échappait à la faveur de l'obscurité.

Nous nous retrouvions dans la rue. Nous faisions chemin ensemble et je l'accompagnais jusqu'à sa porte. Quelquefois je montais chez lui et nous nous mettions à faire nos devoirs. Sa facilité au travail, autant que ses méthodes, m'émerveillait. Lorsqu'il faisait une version latine, je le voyais d'abord lire rapidement la phrase avec un regard tendu; puis réfléchir quelques secondes, mordant fiévreusement ses lèvres; enfin lire de nouveau en balançant la tête et les mains selon le rythme de la phrase; et, ayant à peine consulté le dictionnaire, écrire la traduction. Assis en face de lui, dénué de toute inspiration, cherchant scrupuleusement le sens de chaque mot, j'avançais dans les ténèbres pas à pas.

Lorsque nous avions terminé, il allait vers la bibliothèque et me faisait part de sa dernière découverte. Car il n'y avait pas de semaine qu'il ne s'enthousiasmât sur une nouvelle œuvre. Enthousiasme désordonné, qui me faisait passer tout d'un coup d'un sonnet de la Pléiade à un conte de Voltaire ou à un chapitre de Michelet. Il prenait le livre et lisait. Souvent il me tenait par le bras et, aux endroits qu'il jugeait beaux, je sentais l'étreinte se resserrer. Il ne voulait jamais s'arrêter. Une fois, il me lut en entier la *Conversation du maréchal d'Hocquincourt,* figurant tour à tour avec des intonations particulières et des mines comiques le père jésuite, le janséniste et le maréchal.

Bientôt nous passâmes ensemble tous nos jours de congé. C'était lui qui décidait comment ils seraient employés. Je ne faisais jamais d'objections. Je sacrifiais mes désirs aux siens sans regret. Mon rôle n'était-il pas de me consacrer entièrement à son bonheur et de racheter par cet acte les actes des méchants? Lorsque le consentement me coûtait, je répétais en moi-même : « C'est ma mission. » Et cette pensée m'aurait fait accepter n'importe quel déplaisir.

Cependant, tout en le suivant, je m'efforçais de le guider sans qu'il y parût. Car j'estimais que ma mission était aussi de le débarrasser de certains caractères préjudiciables, de le réformer peu à peu. Je ne savais trop jusqu'où s'étendait ce plan, je ne faisais aucun calcul; toutefois il m'arrivait souvent de passer exprès avec lui devant le petit temple protestant de Passy. Je ne disais pas un mot, je ne désignais même pas l'édifice; mais j'avais l'arrière-pensée qu'un jour peut-être je l'y ferais pénétrer avec moi.

J'avais parlé de lui à mes parents. Ils désirèrent le connaître et je l'invitai à déjeuner chez nous. Ma mère qui était sensible et avait horreur de la violence s'était beaucoup apitoyée, d'après mes récits, sur la situation faite à Silbermann au lycée. Les sentiments

de ma mère à l'égard des Juifs étaient difficiles à définir. Élevée dans un pays où catho-
liques et protestants se dressent encore les
uns contre les autres avec passion, elle ressentait pour la cause des Juifs la sympathie
qui unit généralement les minorités. En
outre, elle se gardait de dédaigner pour la
carrière de mon père l'appui du monde
juif et elle comptait là de nombreuses relations. Mais précisément, j'avais toujours
remarqué chez elle, lorsqu'elle se trouvait
en présence d'une personne de ce milieu,
une façon – oh! presque imperceptible –
de se mettre sur son quant-à-soi. Et une
autre observation que j'avais faite par hasard
m'avait mieux éclairé encore.

Il y avait un certain quartier de Nîmes
– où nous nous rendions souvent d'Aiguesbelles – une maison que l'on appelait « la
maison du Juif ». Elle était construite selon
une orientation particulière qui la mettait
en évidence. Lorsque nous passions devant,
ma mère ne manquait pas de me rapporter
l'histoire et les coutumes de la famille qui
l'avait habitée autrefois. Il n'y avait jamais
dans son récit la moindre marque de mépris
ni la moindre intention sarcastique. Mais
je sentais chez elle la même impression de
mystère et le même mouvement de défiance
que lorsque, évitant un peu plus loin, aux
portes de la ville, un emplacement tout gâté
par des ornières et des tas de cendres, elle
me disait : « C'est l'endroit où campent les
bohémiens. »

Aussi, n'avais-je mis aucune hâte à introduire Silbermann chez moi, ne sachant trop quelle figure on lui ferait. On va voir que je n'avais pas eu tort.

Lorsqu'il arriva, je me trouvais seul dans le salon. Il examina tout de très près. Apercevant un livre posé sur la table à ouvrage de ma mère, il le retourna pour en voir le titre. C'était, il m'en souvient, le *Journal intime* d'Amiel. Silbermann eut un petit sourire que je ne m'expliquai pas mais qui me déplut. Il aborda mes parents avec un raffinement de respect, mais sitôt que la conversation s'engagea, j'eus un sentiment de malaise. A peine questionné, en effet, il se mit à discourir avec volubilité qui, j'en étais assuré, était, au jugement de mon père, égale au pire ton. Il continua pendant le déjeuner, racontant toutes les histoires qui pouvaient le mettre en valeur. Il parla de ses lectures, de ses voyages, de ses projets... Je voyais ma mère l'envisager avec crainte, comme si elle avait soupçonné dans cette rare activité intellectuelle un principe diabolique.

Mon père ne faisait entendre que des monosyllabes.

Et le plus singulier était qu'à mes propres oreilles cette verve, qui d'ordinaire me ravissait, sonnait déplaisamment. Silbermann, par le désir de briller, recherchait des récits extraordinaires et des opinions paradoxales. Et rien n'était plus choquant que l'effet de ses paroles dans une atmosphère où je n'avais jamais entendu développer que des avis mesurés et le préjugé commun. Je souffrais véritablement en l'écoutant; mes doigts étaient crispés. J'aurais voulu lui faire signe de se taire. Mais il ne se doutait aucunement de l'impression produite. Mon père et ma mère lui donnaient à tour de rôle un sourire forcé. Et il s'adressait successivement à l'auditeur gracieux.

Ce fut avec soulagement que je vis le repas prendre fin. Mon père se retira dans son cabinet de travail où, quelques moments après, Silbermann alla le saluer. Il considéra la bibliothèque, pleine de livres de loi et de répertoires juridiques, et dit :

— En somme, l'idée de justice ne serait-elle pas née, comme l'a écrit La Rochefoucauld, de la vive appréhension qu'on nous ôte ce qui nous appartient?

Mon père fit avec une courtoisie glacée un geste d'incertitude.

Le soir, ma mère me dit :

— Ton ami paraît très intelligent, du même ton que l'on dit d'un escroc : « Il est très ingénieux. »

Cet insuccès ne diminua pas Silbermann dans mon esprit. J'y vis plutôt la preuve d'une certaine suffisance de la part de ma famille. L'espace où je vivais me parut borné, étroit, incapable de faire place à l'intelligence. De petits usages auxquels j'avais toujours été soumis m'apparurent ridicules. Je m'aperçus que bien des objets de notre intérieur, que je n'avais jamais jugés tant ils m'étaient familiers, étaient très laids. Je pris moins de plaisir à rester dans notre maison, et, soit par honte de ces choses, soit de peur qu'il ne remarquât les mauvaises dispositions de mes parents, je m'arrangeai pour que Silbermann y vînt le moins possible.

Mais nos rapports n'en souffrirent pas. Il semblait d'ailleurs que ma compagnie lui fût devenue indispensable. Il m'emmenait partout avec lui. Le dimanche, nous allions généralement au théâtre; sitôt le rideau du dernier acte tombé, il prononçait sur la pièce et sur les acteurs un arrêt péremptoire, éloge ou condamnation qui fixait mon esprit lentement ému. Le jeudi, nous nous rendions chez quelque libraire; il discutait éditions, reliures; il marchandait, achetait, faisait un échange. Il avait toujours la poche pleine d'argent, et sa générosité à mon égard, quand nous sortions ensemble, me faisait souvent rougir. A la fin de la journée, après avoir inscrit mes comptes — habitude imposée par mon père — je m'amusais à calculer ce qu'il avait dépensé et me trouvais en présence de grosses sommes.

Nos entretiens n'étaient pas seulement sur l'art ou la littérature. Il suivait avec autant d'intérêt et d'expérience les événements politiques, le mouvement social, et aimait à discourir sur ces sujets.

Il m'entraîna un jour dans un quartier excentrique où avait lieu une manifestation populaire. Il avait décoré sa boutonnière d'une fleurette rouge et s'adressait fraternellement à ses voisins. Je le suivais dans la foule, très effrayé, et au bout d'un moment je le conjurai de rebrousser chemin. En revenant, nous passâmes par un point, situé au sommet de Montmartre, d'où l'on découvre Paris. Nous nous arrêtâmes. La vue de la ville à ses pieds provoqua chez Silbermann une excitation singulière. Lançant vigoureusement la voix dans l'espace, il développa ses théories et me fit un tableau de la société future. Il affirma sa croyance, à l'amélioration du sort humain et au bonheur universel.

— Ces temps viendront, clama-t-il. Cela est aussi sûr qu'il est sûr que le soleil se lèvera demain.

Enivré par cette promesse, je suivais avec enthousiasme son doigt qui, pointé vers la ville, indiquait d'un signe destructif ce qui devrait disparaître et traçait le plan de la communauté nouvelle.

— Assurer le paradis matériel de l'humanité, qui aura cette gloire? dit-il rêveusement.

Et ses yeux s'illuminèrent comme s'il avait eu l'éclair qu'il pourrait être ce Messie.

Ainsi passa l'hiver.

Au lycée, Silbermann remportait les mêmes succès dans ses études, bien qu'il fût souvent blâmé pour son manque de méthode. Notre professeur de français lui reprochait en outre l'abus qu'il faisait de ses lectures et l'habileté avec laquelle il s'appropriait les idées et le style des autres. Et il laissait voir que le procédé, venant de Silbermann, ne le surprenait pas.

Le printemps fut le signal de la reprise

des hostilités contre Silbermann. Les jeux en plein air recommencèrent et chacun s'y livra avec une ardeur nouvelle. Dans la cour, on formait des rondes qui brusquement entouraient Silbermann et le tenaient prisonnier. Par des grimaces on singeait sa laideur, laquelle devenait de plus en plus frappante, car, à mesure qu'il se développait, il perdait cet air d'enfant précoce qui lui avait conféré une manière de grâce. Insulté, bousculé, ayant sans cesse un nouvel assaillant dans le dos, il tenait tête avec rage, répondant à l'un et puis à l'autre; enfin, excédé, il tentait de rompre le cercle et roulait à terre.

Cette année-là, il y eut des élections. Elles furent préparées avec violence. Dans tous les quartiers les murs se couvrirent d'affiches, dont les vives couleurs attirèrent nos regards. Nous nous arrêtions pour les lire et arrivions au lycée tout excités par la dispute des partis. La ligue des *Français de France* prenait une part importante à la lutte. Par des proclamations, des réunions, des conférences, elle multipliait ses attaques contre les Juifs. Philippe Robin, pourvu par son oncle, distribuait à qui voulait des insignes et des libelles antisémites. Cette fureur trouva en Silbermann une victime. Sur les murs, à côté des affiches, on inscrivit son nom et on crayonna sa caricature. Enfin, au lycée, Montclar organisa contre lui une véritable bande.

C'était une figure singulière que celle de Montclar. La plupart de ses condisciples de

Saint-Xavier, avec leurs membres grêles, leurs mains pâles et quelque signe distinctif reproduisant sur leur visage comme une pièce d'armoiries — un nez osseux et plat, un front resserré ou un galbe féminin — semblaient appartenir à une espèce caduque. Lui, tranchait par sa constitution normale et sa mine de chef.

D'un chef, il avait également l'âme. Il choisit en classe trois ou quatre garçons, parmi les plus brutaux, les plus épais, les plus serviles, et les excita contre Silbermann. Dans la cour il allait à leur tête vers celui-ci et se tenant à quelques pas, car il feignait de ne pouvoir s'approcher d'un être aussi abject, il se mettait à l'insulter :

— Juif, dis-nous quand tu retourneras à ton ghetto, nous ne voulons plus de toi ici... Juif, pourquoi as-tu les oreilles d'un bouc ?

Silbermann, tout en marquant des mouvements de crainte pareils à ceux d'une bête faible qui se sent traquée, répliquait bravement à chaque mot. Puis, sur un signe de Montclar, on se précipitait sur lui. Il était jeté à terre et roué de coups. Si je tentais d'aller à son secours, j'étais arrêté et maintenu. De loin j'assistais à la bataille. J'entendais Montclar applaudir un de ses mercenaires et je voyais celui-ci reconnaître par un redoublement de brutalité cette faveur de son chef. J'apercevais Robin parmi les assaillants. Il ne frappait pas bien rudement et, avec sa chevelure blonde en désordre, il semblait un page à ses premières armes. Souvent, nos regards se ren-

contraient, mais le sien se détournait aussitôt comme pour esquiver la supplication
du mien. Et c'était pour moi chose affreuse
de voir la grâce de ce visage, naguère aimé,
durcie maintenant dans une expression
insensible.

Quelquefois Haase ou Crémieux se trouvaient par hasard auprès de la bagarre. Ils
se gardaient d'intervenir, et même il n'était
pas rare que Haase eût un mot de flatterie
pour les agresseurs. Cependant on surprenait dans leurs yeux une lueur de sympathie
secrète ou de vague inquiétude — on ne
savait bien — qui faisait songer aux obscurs
sentiments qui agitent les chiens lorsqu'ils
voient battre un de leurs semblables.

Silbermann se relevait, les vêtements souil-
lés de poussière et déchirés. Je m'empressais
vers lui et rassemblais ses cahiers et ses livres
épars. Tandis qu'il était maintenu, on avait
collé sur sa figure ces étiquettes que la pro-
pagande antisémite apposait à profusion sur
les murs. Son front et ses joues étaient
tatoués de petits rectangles multicolores
où on lisait : A bas les Juifs! Je l'aidais à les
enlever et essuyais son visage. Ses yeux étin-
celaient. Sa bouche écumait. D'un coup de
main j'arrangeais ses cheveux qu'on avait
tiraillés. Autour de nous on ricanait. Je n'y
faisais pas attention. J'avais conscience
d'accomplir ma mission et cette gloire
m'élevait bien au-dessus des sentences
humaines.

Mais à ce moment, Silbermann, qui
n'était jamais abattu, ne pouvait se retenir

de riposter. Encore tout frémissant de la défaite, il repartait à disputer, narguant par des gestes moqueurs ceux qui nous entouraient. C'était du courage si l'on veut; c'était surtout l'espoir de vaincre, soufflé par un âpre orgueil; c'était l'ambition, plus tenace qu'aucun sentiment, de prouver sa supériorité. Alors la bataille se rallumait. De nouveau on s'élançait vers lui. Et je le voyais, à terre, se débattre encore, comme le tronçon d'un ver remue sous le talon.

Je lui démontrais doucement ensuite, par un petit sermon, combien sa tactique était maladroite. Et il me répondait d'une voix rauque, avec une flamme dans le regard :

— Que veux-tu! nous autres, plus on nous opprime, plus nous nous redressons.

C'était vrai. Je remarquais maintenant combien il était préoccupé de se venger. Toute occasion lui était bonne pour s'en prendre au parti adverse. Sa supériorité d'esprit le servait. Une fois elle faillit lui coûter cher.

Notre professeur de français nous avait donné liberté d'apprendre comme leçon telle pièce de vers qu'il nous plairait. J'avais appris des stances d'André Chénier que je venais de lire grâce à Silbermann et dont l'inspiration m'avait laissé tout brûlant. Je demandai à Silbermann quel était son choix, mais il le tint secret.

— Ils vont voir... dit-il avec l'expression de quelqu'un qui prépare un bon tour.

La récitation commença. Les mauvais

élèves, peu scrupuleux, s'étaient contentés de repasser quelque texte déjà connu à l'insu du professeur et riaient d'un effort qui leur avait coûté si peu. Les timides avaient été déconcertés par cette première liberté; certains, en se levant, rougissaient de livrer leur préférence. On attendait avec curiosité Silbermann dont on savait les connaissances étendues et le goût original. Le professeur le nomma, puis il demanda ce qu'il avait appris.

— Des vers de Victor Hugo, Monsieur... Un passage extrait de *Dieu*.

Il se leva et, enveloppant la classe d'un regard plein d'arrogance, il se mit à réciter :

Dieu! J'ai dit Dieu. Pourquoi? Qui le voit? Qui le prouve?
C'est le vivant qu'on cherche et le cercueil qu'on trouve.
Qui donc peut adorer? Qui donc peut affirmer?
Dès qu'on croit ouvrir l'être, on le sent se fermer.
Dieu! cri sans but peut-être, et nom vide et terrible!
Souhait que fait l'esprit devant l'inaccessible!
Invocation vaine, aventurée au fond
Du précipice aveugle où nos songes s'en vont!
Mort qui te porte, ô monde, et sur lequel tu vogues!
Nom mis en question dans les sourds dialogues
Du spectre avec le rêve, ô nuit, et des douleurs
Avec l'homme...

Dès le début, l'apostrophe étonnante avait fixé l'attention générale sur Silbermann. Puis à mesure que s'élevait la voix claire et puissante qui donnait à chaque mot sa force, à chaque pensée sa gravité, tous, en classe, s'étaient entre-regardés avec une sorte de trouble. Devant cette vision apocalyptique, devant cet éclair illuminant un chaos, chacun avait songé à ses rêves, à ses doutes, à ses angoisses, et avait désiré être rassuré par le visage de son voisin. Mais bientôt, comme s'ils s'étaient sentis de force à se mesurer contre cet audacieux extermi-nateur, dressé parmi eux, ils firent entendre un grondement d'indignation. La voix de Silbermann domina ce bruit. A peine inter-rompu, il lança avec un son retentissant :

Dieu! conception folle ou sublime mystère!

Un tapage furieux éclata sur tous les bancs. Le professeur intervint, fit asseoir Silbermann et, une fois le silence rétabli, lui dit avec une sèche ironie :
— Vous avez sans doute voulu prouver à vos camarades à quel point vous manquiez de tact, monsieur Silbermann!
Mais qu'importait à Silbermann!
Je le regardai et je vis, malgré son calme apparent, combien il triomphait intérieure-ment. Il lançait des coups d'œil vers le groupe des Saint-Xavier, et l'orgueil dila-tait ses narines.
La classe s'était ressaisie. Montclar fit passer furtivement un billet qui décidait des représailles contre Silbermann. Celui-ci se douta de la chose et, dès le roulement

de tambour, il courut vers la porte et s'enfuit à travers la cour.

Mais d'autres avaient été plus prompts et l'attendaient. En pleine course il fut atteint d'un croc-en-jambe et culbuta net. Je le vis à terre, agitant les membres en tous sens. Ses traits étaient défigurés par l'angoisse; sa bouche, grande ouverte, ne laissait échapper aucun cri : le choc extrêmement violent lui avait coupé la respiration. J'accourus et le relevai. Je l'emmenai à l'infirmerie. Elle se trouvait à l'autre bout du lycée. Il me laissait faire et ne parlait pas. Nous y allâmes lentement. Je le soutenais. A un moment, il se mit à haleter et s'arrêta. Son teint, brun d'ordinaire, était affreusement livide. Son regard était vague. Ses lèvres frémissaient ou murmuraient je ne sais quelle prière. Une goutte de sang coula d'une petite déchirure à son front.

A ce spectacle, une pensée me traversa : « S'il allait mourir!... » Mon imagination prompte à assembler des scènes tragiques conçut tout le drame et même ce qui s'en ensuivrait. Déjà je me voyais allant le lendemain au-devant des Saint-Xavier, ses bourreaux, et leur disant — de quel ton accablant!

— Eh! bien, soyez contents, vous l'avez tué...

A ce moment, d'un mot qui me rassurait, Silbermann souffla sur ces songes. Nous reprîmes notre marche. Un peu plus loin il désira s'arrêter encore. Nous étions devant la chapelle du lycée. Là se trouvait un carré avec des bosquets de lilas et un banc. Silbermann s'assit. Il était appuyé contre le mur de la chapelle, au-dessous de vitraux qui représentaient un groupe d'anges. Ses deux mains soutenaient aux tempes sa tête inclinée ; et son ombre répétant ce geste dessinait sur le sol une silhouette mince et biscornue.

L'émotion avait si bien bouleversé ma raison qu'en le voyant à cette place, je me mis à rêver une étrange histoire mystique. De nouveau j'imaginai qu'il allait mourir. Et je pensai que c'était sans nul doute Dieu qui le frapperait afin de le punir de ses blasphèmes.

« Il va mourir ici, dis-je en moi-même, au seuil de cette chapelle. »

Et, avec une inquiétude infinie, je me demandais si l'élection par la puissance divine de cette église catholique comme lieu de châtiment ne serait pas un signe qui dût me faire abjurer...

La sœur qui nous reçut à l'infirmerie, dans une sorte de cuisine ornée d'objets de piété, était une petite vieille dont la figure toute ridée tremblotait. Silbermann me parut gêné pour s'adresser à elle. Aussi, je pris la parole et lui racontai la chute brutale en pleine course.

— Miséricorde ! dit-elle en joignant les mains. Qu'il se repose un moment. M. le docteur doit passer bientôt. En attendant je vais lui donner une tisane bien sucrée.

Silbermann s'était remis peu à peu de la commotion. Ses pupilles avaient repris leur vie et leur mobilité. Je croyais les voir sauter sur la cornette blanche de la sœur et sur les statuettes religieuses comme de noirs petits démons.

La sœur passa dans une autre pièce. Au bout d'un instant, Silbermann se leva et me força à en faire autant.

— Je me sens tout à fait bien, ce n'est pas la peine de rester. Allons-nous-en.

Je fus d'avis d'attendre le retour de la sœur. Il s'y refusa et m'entraîna dehors.

Nous refîmes le chemin en sens inverse. Il parlait avec abondance. Il avait retrouvé toute sa fierté et me demanda avec un air de triomphe si j'avais remarqué, pendant qu'il récitait, la longue figure toute scandalisée de La Béchellière. Puis il se mit à rire en pensant à la sœur qui devait nous chercher partout. Il se retourna vers l'infirmerie et, ridant ses traits, il parodia d'une voix chevrotante :

— Je vais lui donner une tisane bien sucrée...

Cette singerie me déplut. La parole évangélique me revint en mémoire : « Race incrédule et perverse... »

— Tais-toi donc, lui dis-je avec impatience.

C'était la première fois que je le traitais avec brusquerie. Il leva vers moi des yeux surpris. Et tout aussitôt, changeant de ton et d'expression, il porta la main à sa poitrine et dit :

— Je crois que je vais encore avoir un étouffement.

La scène violente de la cour avait été vue d'un répétiteur. En raison des conséquences dangereuses qu'elle avait failli avoir, l'agresseur fut gravement puni, et l'affaire fit assez de bruit pour qu'on n'osât plus persécuter ouvertement Silbermann. Mais ses ennemis ne désarmèrent pas et changèrent seulement de tactique. Nous fûmes tous deux mis en *quarantaine*. Personne, ni en récréation ni en classe, ne nous adressa plus la parole. Les groupes s'écartaient sur notre passage; les bouches se fermaient. Maintenant, tandis que je me promenais dans la cour avec lui, je tâchais, n'ayant plus à le défendre, à le perfectionner, ce qui était aussi ma mission. J'aurais voulu qu'il perdît ce besoin continuel de s'agiter, de parler, de se mettre en évidence. Je lui recommandais d'une façon détournée le recueillement intérieur et la discrétion, ces principes qu'on m'avait prêchés avec tant de fruit dans ma famille.

— Est-ce que tu ne goûtes pas un plaisir particulier, lui disais-je, lorsque tu gardes secret quelque sentiment, lorsque tu caches soigneusement aux autres toutes tes pensées et tous tes désirs?

Mais le plus souvent il accueillait mes conseils avec un air narquois, comme s'il avait une arrière-pensée railleuse sur cette morale.

Je m'aperçus bientôt que Silbermann était très sensible au délaissement où l'on nous avait réduits tous les deux. L'absence de discussion était pour son esprit un désœuvrement insupportable. Il portait vers ceux qui l'attaquaient naguère des regards presque mélancoliques, comme s'il eût regretté les âpres querelles soutenues contre eux. De mon côté, je me plaisais moins à cet état tranquille qui n'exigeait plus de moi aucun service dangereux. Puis, dans le désert créé autour de nous, les petits ridicules de Silbermann grossissaient; je veux dire que je les remarquais davantage. Souvent lorsque j'étais à côté de lui, son physique, sa gesticulation, sa voix, me choquaient tellement que je me comparais à Robinson isolé auprès de Vendredi...

Nos tête-à-tête languirent. Mais, à dire le vrai, ce fut un peu de mon fait. Chaque année, à l'approche des vacances, par une habileté mesquine que je ne m'avouais pas, je me détachais des amis que je m'étais faits au lycée. Je ne voulais point souffrir trop cruellement d'être séparé d'eux pendant les mois à venir. Et vers la mi-juin, en prévision de la morte-saison, je réglais avec prudence l'économie de mon cœur et le fermais aux sentiments trop vifs.

V

Aiguesbelles m'offrait, chaque été, un spectacle identique, méthodiquement réglé. On eût dit qu'une ordonnance supérieure eût assigné à tous les habitants du mas une tâche exacte devant laquelle ils ne viendraient à faiblir qu'au moment de la mort.

Mon grand-père s'occupait de son domaine avec un soin invariable. Tous les jours, avant le coucher du soleil, quel que fût le temps, il allait inspecter ses vignes en voiture, suivant des chemins tracés exprès dans la terre labourée et par lesquels lui seul passait. On apercevait au loin son buste qui restait rigide en dépit des cahots et se dressait au-dessus de l'horizon.

Ma grand-mère était sans cesse en mouvement malgré son âge. Elle allait, du matin au soir, de la ferme à la magnanerie, son beau visage aux pommettes fraîches abrité sous un simple chapeau de paysanne. Préoccupée perpétuellement par l'amélioration du mas, elle décidait des changements qui s'effectuaient aussitôt, non sans qu'elle-même, qui bouillait d'activité, y eût mis

la main. Lorsque par hasard nous la sur-
prenions à ne rien faire, elle était si hon-
teuse qu'elle se troublait et se retirait après
nous avoir dit :

— Il faut que je vous laisse, mes enfants,
j'ai tant de besogne!...

La tâche de ma mère, entre ces deux
êtres, était de les servir avec un amour parfait. Je me demande si sa conscience scrupuleuse ne lui reprochait pas comme une
trahison envers ses parents l'amour qu'elle
portait à mon père, et si chaque année elle
ne revenait pas à Aiguesbelles avec le cœur
d'un enfant qui veut se faire pardonner.

Sous cette tradition austère, si bien revê-
tue de douceur, le devoir se présentait avec
une saveur exquise. Je me plaisais à me
fixer gravement de petites tâches secrètes
que je m'évertuais à mener à bien. Au cré-
puscule, à l'heure où les travaux des hommes
cessaient dans le mas, j'allais me recueillir
dans ma chambre.

Ma chambre était située à l'étage le plus
élevé de l'habitation. Les murs étaient blan-
chis à la chaux et le plancher recouvert de
carreaux rouges. Il y avait, accrochée au mur,
une image que je regardais souvent. C'était
une grande photographie représentant un
de mes oncles, un frère aîné de ma mère,
qui était mort et que je n'avais jamais
connu, mais dont la figure farouche et la
destinée énigmatique hantaient mes pensées.

Ma mère m'avait fait sur lui bien des
récits. Elle m'avait décrit, à travers la confu-

sion de ses impressions d'enfance, les scènes auxquelles elle avait assisté lorsque ce frère, à l'âge de dix-huit ans, obéissant à un singulier vœu de renoncement plutôt qu'à un désir d'aventure, s'était enfui de la maison « afin d'accomplir ma mission », avait-il écrit; il ne savait laquelle. Elle m'avait raconté comment, revenu après plusieurs mois, le révolté était resté sourdement obstiné à sa mystérieuse vocation, allant jusqu'à maudire ses parents qui s'efforçaient de le retenir. Enfin j'avais appris qu'à vingt-deux ans il s'était joint à un groupe de missionnaires qui se rendaient à Madagascar et était mort en mer.

De ma fenêtre, je découvrais presque tout le domaine. J'aimais à m'y tenir au déclin du jour. J'entendais le piétinement du troupeau qui rentrait à la bergerie. D'un côté, je contemplais, à l'infini, les lignes parallèles des vignes; de l'autre, le clos des mûriers, le bois d'oliviers. Et à considérer cette graisse de la terre dont Dieu m'avait pourvu, j'étais exalté par un sentiment de reconnaissance. Je murmurais :

— Faire le bien... faire le bien...

Je me demandais :

« Qui puis-je sauver? A qui me dévouer? » J'allais interroger l'image de mon oncle, et j'étais dans une telle fièvre que je croyais voir dans la pénombre les lèvres du jeune missionnaire me dicter ma tâche.

Pendant les vacances, Silbermann, qui avait peut-être senti le refroidissement de nos relations et s'en inquiétait, ne me laissa point l'oublier et correspondit fréquemment avec moi.

Il faisait en compagnie de son père un voyage en automobile à travers la France. Ses lettres, fort détaillées, me décrivaient les régions qu'il visitait. Il portait, sur le pays et les gens, des jugements critiques bien rares à notre âge et qui me paraissaient le signe d'un cerveau supérieur. Grâce à sa mémoire qui était extraordinaire, grâce aussi, sans doute, à l'aisance d'un esprit libre de toute attache, il assimilait promptement tout ce qui passait sous ses yeux et composait de vastes tableaux qui débordaient mes vues étroites. Ces lettres rappelaient une foule de faits historiques et abondaient en citations littéraires. Celle qu'il m'écrivit d'Amboise me fit une peinture de la cour des Valois; peinture chargée de sang et de poison, bien faite pour justifier le sentiment d'aversion que m'inspirait la dynastie de la Saint-Barthélemy. Il se plaisait aussi à imiter le style d'un écrivain célèbre. Il réussissait cet exercice à merveille, trop bien même, selon l'opinion de notre professeur, ainsi que je l'ai rapporté. Passant à Chinon, il m'écrivit plusieurs pages dans la langue de Rabelais, qui me divertirent fort.

Il m'entretenait des monuments et des objets d'art avec une richesse de connaissances qui s'expliquait par la profession de son père. L'intérêt que celui-ci portait aux édifices religieux me frappa. J'appris qu'il faisait de longs détours afin de visiter de petites églises de campagne. J'attribuai cette particularité à ses goûts artistiques, d'autant que, dans ses lettres, Silbermann consacrait des développements enthousiastes à l'architecture religieuse.

Pour ma part, j'étais toujours resté insensible à la beauté de cet art. Une cathédrale, si grandiose fût-elle, me faisait le même effet, sous la carapace de ses sculptures, qu'une espèce de monstre préhistorique, unicorne ou dragon, qui eût été conservé à travers les âges. Je n'y trouvais rien d'explicable et la considérais seulement avec une vague curiosité.

Une des lettres de Silbermann fut pour moi une révélation à ce sujet. S'étant arrêté quelques jours dans une ville célèbre pour les sculptures de sa cathédrale, il me les décrivit entièrement. Il me démontra que cette multitude de scènes et d'ornements, qui étaient si confus à mes yeux, reproduisaient toutes les connaissances spirituelles et matérielles des artisans au Moyen Age. Il me rendit intelligible tout ce qui était inscrit sur les pierres. Interprétant un à un le sujet des scènes religieuses, commentant le geste de chaque statue et le rapportant à la légende du modèle, il me donna d'abord un tableau merveilleux de la pensée mystique à cette époque. Puis, passant aux parties qui relataient la vie de l'homme, il me montra les bas-reliefs où était représenté le cycle des travaux rustiques : labour, semailles, moisson, vendange... Il ne négligea pas la plus petite pierre. Il alla jusqu'à me décrire les guirlandes de feuillage, composées uniquement, disait-il, de plantes poussant dans la province; et il rapprocha de cette décoration humble et bornée la foi naïve exprimée dans les motifs religieux.

J'eus, en lisant cette lettre, une impression analogue à celle que j'avais reçue lorsque j'avais entendu Silbermann réciter en classe les vers d'*Iphigénie*. Il me sembla qu'un trait de lumière était jeté sur tous ces monuments que j'avais si mal distingués jusqu'ici. Je revis leurs svelts ogives, leurs rosaces parfaites, leurs fines galeries brodées sur la nue, et cet art m'apparut soudain adorable. De grises figures de pierre que j'avais contemplées avec froideur saillirent dans ma mémoire, nouvellement parées d'une grâce ou d'une détresse ravissantes. Et devant ces visions, je restai un instant confondu, comme par un beau soir succédant à des nuits brumeuses, devant un ciel constellé.

Après avoir reçu cette lettre, je songeai aux paroles que Silbermann m'avait dites un jour : « Ces choses, ne puis-je les comprendre aussi bien que Montclar ou Robin? Est-ce que je ne les admire pas plus qu'ils ne les admirent? »

Quoi! c'était lui qui lisait comme à livre ouvert dans la tradition de la France, qu'on traitait d'étranger! Lui, qui pénétrait jusqu'aux qualités les plus profondes de notre terroir, qu'on voulait chasser de ce pays! Ah! ces sentiments insensés soulevèrent mon indignation. Je les comparai à ceux qui avaient préparé jadis la révocation de l'édit de Nantes et fait perdre finalement à la France — je l'avais maintes fois entendu — les plus dignes et les plus travailleurs de ses habitants.

Ce rapprochement fortifia grandement dans mon esprit la cause de Silbermann. Et avant de quitter Aiguesbelles, regardant droit aux yeux le portrait de mon oncle, je jurai de ne point faillir à ma mission.

J'avais espéré qu'une nouvelle année scolaire, avec tous les changements qu'elle apporterait à nos habitudes, modifierait la situation de Silbermann au lycée. Mais la composition de la classe fut à peu près la même. Le jour de la rentrée, Philippe Robin passa à côté de moi sans m'adresser un regard. Les haines, la rancune persistèrent; la quarantaine continua.

Notre nouveau professeur était un vieil homme qui ne se souciait plus guère de l'enseignement qu'il donnait. Il se plaisait surtout à observer chez ses élèves les travers des natures et à voir jouer les petites passions. Nous étions pour lui des marionnettes auxquelles il distribuait malicieusement de temps à autre des coups de bâton.

La figure et les gestes de Silbermann, le petit drame qu'il devina autour de lui, l'alléchèrent aussitôt. Il vit là un acteur bon à lui donner un spectacle divertissant et il le mit en vedette.

La même intimité reprit entre Silbermann

et moi. J'évitai, par crainte de mes parents, de le recevoir à la maison, mais je me rendis presque tous les jours chez lui.

J'assistai de là, une fois, à une scène dont le souvenir m'est resté.

C'était à l'époque où de nouvelles lois concernant l'exercice des cultes et les biens ecclésiastiques devaient être appliquées. A cette occasion, le propriétaire du château de la Muette invita les évêques de France ainsi que de nombreuses personnalités du monde catholique à se réunir chez lui afin de conférer sur la situation faite au clergé. Nous vîmes, par les fenêtres, les évêques passer et repasser lentement dans le parc. On distinguait les gants violets et le liséré des soutanes. Quelques graves personnages, tête nue, les escortaient. L'attitude de tous était empreinte de mesure et de résignation. Ce spectacle faisait sur moi une impression très forte. Je ne disais mot. Silbermann était posté au carreau voisin; ses yeux dardés et son nez écrasé contre la vitre donnaient à sa figure un type sauvage. Tout à coup, prenant mon bras et le serrant avec force, il s'écria :

— Retiens cette date... A partir de ce jour, le règne de la papauté cesse sur la France, et bientôt sans doute il va décliner dans le monde entier. Retiens cette date. Il se peut qu'elle soit conservée dans l'histoire comme celles qu'on nous fait apprendre aujourd'hui et dont on a marqué la chute des régimes.

Il avait quitté la fenêtre et était au milieu

de la pièce, en proie à une agitation frénétique. Il prononça encore quelques paroles; mais je ne les entendis pas, tant sa volubilité fut grande, comme s'il eût voulu précipiter la destruction qu'il prophétisait. Puis, il revint vers la fenêtre, et, désignant l'assemblée des prélats, il dit :

— Le dernier concile.

Ces mots détournèrent sa pensée. Et tandis qu'une singulière expression de sensualité apparaissait sur son visage, il s'écria vers moi :

— Ah! comme Chateaubriand eût dépeint cette scène!... Hein! Vois-tu sa phrase?

Et après une seconde de réflexion, il déclama :

— Spoliés de leurs augustes demeures, les princes du catholicisme étaient réunis en plein air, comme les premiers serviteurs du Christ...

Mon esprit se trouvait à ce moment fort éloigné de la littérature. Il me semblait voir des adversaires abattus, mais des adversaires si proches que leur ruine m'atteignait. Je m'écartai de la fenêtre et entraînai Silbermann.

Maintenant de tels éclats étaient fréquents chez Silbermann. Sa nature s'altérait. Il dénonçait constamment, avec une ironie amère, les injustices et les ridicules qu'il apercevait; et même il allait jusqu'à considérer avec une horrible complaisance les malheurs des autres.

Comment ne pas l'excuser lorsqu'on songe à l'alarme profonde où vivait sa pensée? Je m'avisai de cela un jour : nous causions tranquillement ensemble; je fis, par hasard, un geste de la main; il crut que j'allais le frapper et protégea vivement son visage.

Puis, je m'aperçus à certains de ses propos combien il avait le sentiment que son ambition échouerait, combien il se savait rejeté par nous. C'est ainsi qu'il disait fréquemment de telles phrases : « Les Français agissent de la sorte... Les Français ignorent cette qualité »... comme si, de lui-même, il s'était retranché de notre nation.

Je faisais de mon mieux pour lui ôter cette impression. Ainsi, je lui parlais souvent des belles théories sociales qu'il m'avait exposées. Elles avaient germé dans ma tête et je rêvais à leur réalisation.

— C'est toi, lui disais-je, qui par tes livres, par ton éloquence, feras s'accomplir ces choses en France.

Mais il n'avait plus la même foi dans son idéal et me répondait par un geste sceptique. Quant au grand rôle que je lui assurais plus tard, il me disait avec une grimace amère :

— Tu oublies que je suis Juif.

— Mais ce qui se passe actuellement n'a pas d'importance, répliquais-je. Hors du lycée cette hostilité ne durera pas.

— Elle durera — reprenait-il d'une voix singulièrement profonde, tandis que ses joues se chargeaient d'un rouge sombre —, elle dure pour moi aussi haut que je remonte dans mes impressions d'enfance.

Ah! tu ne peux savoir ce qu'est de sentir, d'avoir toujours senti, le monde entier dressé contre soi. Oui, le monde entier. Chez tous, même chez ceux qui n'ont point de haine, nous devinons, à leurs regards, à un certain air, une arrière-pensée qui nous blesse. Mais tiens! ne serait-ce que la manière dont on prononce le mot "Juif"?... Ah! tu n'as jamais remarqué.. Les lèvres avancent en une moue méprisante pour accentuer la première syllabe, puis, faisant glisser la seconde, reviennent vite en arrière, comme afin d'expulser le mot sans se souiller. Ce mouvement, j'ai appris à le reconnaître et à le déchiffrer, à force de le voir répété sur les lèvres de tous ceux qui me regardent : "C'est un *Jû-if*... il est *Jû-if.*"

Que répliquer à cela? Quand j'entendais ces confidences poignantes, je frissonnais, comme si ayant passé la tête dans un cachot affreux j'avais aperçu un homme y vivant.

Et en même temps, par une sorte de bravade ou bien peut-être afin d'amortir sa disgrâce personnelle, il avait pris la manie de me conter des histoires où ceux de sa race étaient tournés en dérision. Il les développait avec art, imitant l'accent des Juifs et empruntant leurs noms les plus communs. Dans son cas ces bouffonneries avaient quelque chose de sinistre. Loin de me faire rire, elles me glaçaient, comme lorsqu'on entend plaisanter sur son mal quelqu'un qui se sait mortellement frappé.

Mon zèle pour lui redoublait. Nulle

expression ne définit mieux le sentiment qui m'animait. Il n'entrait dans ce sentiment rien de ce qui couve d'ordinaire à cet âge sous une amitié ardente, pensées tendres, désir de caresses, jalousie, et la fait ressentir comme la première invasion de l'amour. Mais le soin exclusif, l'abnégation, la constante sollicitude de l'esprit, les soucis déraisonnables, donnaient à cet attachement tous les mouvements de la passion. J'étais tourmenté sans cesse par la crainte de mal accomplir ma mission. Je m'accusais de relâchements imaginaires. La nuit, cette angoisse me hantait et se transformait en cauchemar. J'avais la vision de Silbermann se noyant ou se débattant au fond d'un précipice; alors je me jetais à l'eau ou m'élançais dans l'espace afin de le sauver. Et le matin, je m'éveillais dans un tel trouble que, pareil à l'ami de la fable, je courais l'attendre à la porte de sa demeure.

Cette visible agitation inquiéta ma mère. Elle m'interrogea. Je répondis de façon confuse, mêlant à mes explications le nom de Silbermann, et je vis qu'elle fronçait les sourcils. Elle avait appris que je m'étais brouillé avec Philippe Robin à ce sujet et m'en avait vivement blâmé.

Bientôt, l'exigence de Silbermann qui me retenait auprès de lui sans souci de mes devoirs de famille apporta quelque irrégularité dans mes habitudes et me valut les remontrances de mon père. Souvent je me sentais observé par lui comme si une grave accusation pesait sur moi. Mais, si je continuais à les chérir tous deux, ni ma mère, par ses bons enseignements, ni mon père, par ses justes sentences, n'avaient plus de pouvoir sur ma conduite. Lorsque, le soir, ayant passé la journée avec Silbermann, l'ayant suivi, veillé, servi, je me retrouvais devant eux, c'était le détachement des âmes mystiques en présence de leurs terrestres amours. Entendant agiter des questions telles que l'avancement de mon père ou les occupations charitables de ma mère, j'éprouvais l'insensibilité mêlée d'indulgence que ces âmes témoignent aux propos des mondains. Quelquefois, peut-être, mes parents voyaient un sourire rayonner vaguement sur mon visage. C'est que, rêvant au sort de Silbermann, j'imaginais un subit revirement éclatant sur terre en faveur des Juifs, la fin de son tourment, bref un dénouement imité de celui d'*Esther*. Mais le plus souvent, au contraire, mon imagination, sans doute afin de multiplier les amorces incomparables du sacrifice, se plaisait à une peinture très rude de l'avenir et me faisait tirer de toutes choses des pressentiments funestes.

Ainsi, un jour, au lycée, je vis Robin dire quelques mots à Montclar. Puis celui-ci s'approcha de Silbermann et lui cria en ricanant :

— Eh bien, Juif, il paraît qu'on a pris ton père la main dans le sac?

Silbermann blêmit et ne répondit rien.

Aussitôt, d'après cette scène, je conjecturai tout un complot ourdi par les ennemis de Silbermann, je vis un désastre inouï fondant sur lui...

Hélas! cette fois-ci le pressentiment était juste. Quelques jours plus tard, Montclar, Robin et les autres élèves de Saint-Xavier, arrivant au lycée le matin, annoncèrent, montrant un journal, qu'une plainte avait été déposée contre le père de Silbermann.

VI

Dès que cela me fut possible, j'allai vers Silbermann et lui posai des questions. Il me répondit avec un mouvement d'insouciance mais cependant sur un ton précipité qui trahissait son trouble :

— Il arrive à mon père ce qui arrive très fréquemment dans son métier. Il a vendu comme authentiquement anciens des objets qui ne le sont pas ou qui avaient été restaurés. Il les reprendra, indemnisera l'acheteur, et l'affaire n'aura pas de suite.

Il se trompait. Le lendemain, de nouveaux détails apprirent que la vente s'était faite à l'aide de faux papiers et que l'acheteur lésé maintenait sa plainte. Ces explications étaient produites par le journal qui avait le premier ébruité l'affaire, *La Tradition française,* et qui appartenait à la ligue des *Français de France.* On ajoutait que d'autres faits plus graves encore pourraient être reprochés à l'antiquaire Silbermann.

Deux jours passèrent. L'anxiété de Silbermann grandissait visiblement. Étant avec moi, il tomba à plusieurs reprises dans de lourds silences d'où il sortait par une animation factice s'il se voyait observé, comme font ceux qui veulent détourner de leur personne un soupçon.

Ce soin était nécessaire, car l'affaire Silbermann était devenue au lycée le sujet de toutes les conversations. Dans la cour, on chuchotait sur son passage, on le montrait du doigt; et me rappelant ce qu'il m'avait confié sur sa sensibilité, sur son œil toujours en éveil, je pouvais imaginer quelles étaient ses souffrances.

Un matin, *La Tradition française* annonça qu'une nouvelle plainte était déposée. Il s'agissait cette fois d'achat et de recel d'objets volés. J'étais assez au courant des choses juridiques pour savoir les conséquences possibles de ces actes. Le soir, je m'empressai d'acheter un journal; je l'ouvris fiévreusement. Je lus que le parquet avait retenu la plainte et je vis, recevant un choc, que mon père était le juge d'instruction désigné.

Le hasard fit que ma famille ne resta pas à la maison ce soir-là et que je pus abriter mon trouble dans la solitude. Mais dans la solitude mon imagination grossit les choses. Je comparai la situation où je me trouvais à l'un de ces conflits, amenés par une horrible fatalité, qui forment le sujet des tragédies. Déchiré par les scènes que je présageai, je restai éveillé toute la nuit.

Le lendemain matin, comme je partais pour le lycée, je vis, m'attendant au coin de la rue, Silbermann.

— Eh bien, tu sais ce qui se passe? dit-il avec vivacité. Mon père est victime d'une machination abominable. Je vais tout te raconter. Mais, d'abord, qu'est-ce que ton père t'a dit?

Je répondis que nous n'avions pas parlé de l'événement.

— Écoute-moi, reprit Silbermann. Il faut que tu saches la vérité. Les *Français de France,* soit pour une vengeance personnelle dont nous ignorons le motif, soit par simple antisémitisme, se sont mis en campagne contre mon père. Chaque jour, dans *La Tradition française,* il est insulté copieusement et accusé de délits imaginaires. Or, pour le perdre, on n'a rien trouvé de mieux que de lui tendre un piège. Cet été, au cours de notre voyage en province, mon père a acheté beaucoup d'objets d'art provenant des églises et que les bons curés se hâtaient de soustraire aux inventaires du gouvernement. Oui, il faut croire que ces richesses tutélaires ont moins de prix pour eux que les espèces sonnantes... Le plus souvent, ces achats se faisaient indirectement. Aujourd'hui, on accuse mon père d'avoir, à plusieurs occasions, acheté des objets volés. Il ne peut s'adresser aux vendeurs qui agissaient très probablement à l'instigation de ses ennemis et qui ont disparu. D'autre part, s'étant déjà défait de quelques objets, il est dans l'incapacité de les restituer. Voilà les faits. Voilà sur quoi on ouvre une instruction contre lui.

Il s'était exprimé avec vigueur et clarté.

Visiblement il se servait de tout son art pour me persuader. Mais il en avait à peine besoin, tant sa parole me trouvait crédule. Puis, je me ressouvenais des propos tenus un jour chez Philippe Robin par l'oncle de celui-ci, et ils concordaient avec les dessous que Silbermann me révélait.

Silbermann souffla un instant; ensuite il reprit sur un ton plus bas, grave, pathétique :

— Telle est la vérité. Il importe que ton père la connaisse. Rapporte-lui tout ce que je viens de te dire, je t'en conjure. Fais-lui admettre ces choses. Arrange-toi pour qu'il conclue tout de suite à un non-lieu. Il ne faut pas que mon père soit inculpé. S'il était poursuivi, songe à mon avenir. Qu'adviendrait-il de ces beaux projets que tu es seul à connaître; mon ambition d'écrire des livres, d'être un grand Français?... Peut-être serais-je obligé de quitter le lycée?... Que deviendrais-je? Sauve-moi de ce désastre..., sauve-moi... Une fois, tu te rappelles, tu as juré que tu ferais pour moi tout ce qui serait en ton pouvoir... Eh bien, je te le dis, mon sort dépend de toi.

A ces paroles, je l'interrompis. L'émotion serrait ma gorge. Mais je trouvais cette émotion si délicieuse que, de gratitude, je pressais les mains et les bras de Silbermann. Je lui promis de parler le soir même à mon père. Et tant de naïveté entrait dans mes sentiments éperdus que je ne doutais pas que mon père, entendant ce récit, ne ressentît la même émotion que moi. Il me parut que ce serait comme un beau présent que j'apporterais et que je partagerais avec lui.

Le soir, sans hésiter, le doigt tremblant toutefois, je frappai à la porte du cabinet de mon père. Sa voix juste et sans nuance cria d'entrer.

Dans la pièce étroite, tendue d'étoffe vert sombre, mon père était au travail devant son lourd bureau de chêne noirci. Derrière lui, dans une bibliothèque de même bois, s'alignaient sous une monotone reliure de toile, noire également, les livres juridiques. Sur ce fond sévère se détachait sa figure aux traits droits, privée d'élégance mais non d'un air de noblesse tant mon père y arborait de roideur.

Je lui dis bonsoir d'une voix imperceptible, car, à peine entré, il m'était apparu que ma démarche était insensée. Et, tout de suite, je lui annonçai que j'avais des renseignements à lui donner au sujet de l'affaire Silbermann. Je me mis à débiter d'une haleine tout ce que j'avais entendu le matin, les raisons politiques et les menées suspectes de l'accusation, l'impossibilité où le père de mon ami était de prouver sa bonne foi, la nécessité d'un prompt non-lieu afin d'arrêter les attaques, enfin la version même dictée par Silbermann.

Où prenais-je l'audace et l'habileté nécessaires à ce plaidoyer, moi si timide d'ordinaire et silencieux à l'excès? Je l'ignore. Il me semblait avoir devant la vue une flamme que rien de terrestre ne pouvait obscurcir et qui faisait rayonner dans mon esprit une chaleur extraordinaire. Ma mission, répétais-je en moi-même, ma mission!

Mon père m'avait écouté sans m'interrompre. Puis il me fit signe d'approcher.

— As-tu vu récemment cet homme, M. Silbermann?

Je répondis que non.

— Alors, c'est par ton camarade que tu es informé de tout cela?... C'est lui qui t'a sollicité d'intervenir, peut-être?

— C'est lui qui m'a rapporté la vérité, mais c'est ma conscience qui m'a conduit vers toi.

— Tu emploies les mots sans discernement, mon enfant. Ta conscience aurait dû, au contraire, t'interdire un acte qui risque de dévier la justice. Je n'ai pas encore pris connaissance des faits qui sont reprochés au père de ton ami. Je ne veux rien retenir de ce que tu viens de m'en dire, et je ne saurais préjuger la décision que je prendrai.

A ces mots, je compris que j'échouais dans ma mission. Mais comme j'avais aux oreilles le « sauve-moi » de Silbermann, je voulus tenter un dernier effort. Pour apitoyer mon père, je lui représentai la malédiction qui poursuivait Silbermann, son martyre secret, les transes où il vivait actuellement. Je lui avouai combien cet état me touchait; je lui livrai, espérant l'attendrir, des preuves de ma folle amitié et de mon tourment. C'était la première fois que j'analysais mon cœur, et, grisé par les paroles, je me dénonçais avec une ardeur candide. Dans mon emportement, je poussai ce cri ingénu :

— Ah! je ne savais pas qu'on pouvait éprouver un tel sentiment pour d'autres que ses parents!

Et dans un geste suprême, je tendis vers mon père des mains suppliantes.

Mon père s'était levé. Ces mains que je tendais, il les avait prises dans les siennes; il ne les serrait pas fortement mais les retenait aux poignets avec la fausse douceur d'un médecin. J'avais levé le visage vers lui. Son regard plongeait dans mes yeux.

— Ce sentiment n'est pas normal envers un camarade. D'où provient cet attachement entre vous?

Il avait dit ces mots avec une netteté qui trahissait une arrière-pensée. Je ne pouvais répondre clairement à sa question. Il m'aurait fallu bien connaître les régions les plus délicates et les plus mystiques de mon âme. J'esquissai un geste d'embarras... Et tout d'un coup, dans ses yeux sombres qui étaient restés fixés sur moi, j'entrevis, comme une salissante ténèbre m'enveloppant, la basse conjecture où il s'égarait.

Le soulèvement de mon être fut tel que, après avoir laissé échapper un cri de révolte, je ne songeai pas à me disculper mais à fuir. Honteux de mon père, je détournai le visage et tentai de défaire son étreinte. Mais, maintenant, mon père serrait les doigts.

— Avoue... avoue, proféra-t-il.

Je relevai la tête. Ce n'était plus mon père. Sa figure, constamment rigide et rarement émue, était devenue méconnaissable tant le soupçon et l'inquisition y imprimaient

d'excitation et de vie. Elle s'était rappro-
chée de la mienne, et, les prunelles bril-
lantes, le souffle pressant, elle m'interrogeait
dans un langage muet, adroit et presque
complice, que je comprenais aussi mal
qu'un innocent l'argot des criminels.

Puis, cette expression disparut. Mon père
réfléchit un moment. Enfin il me libéra
lentement, et, levant l'index vers le ciel, il
prononça ces mots :

— Je me garderai de te condamner sans
preuves. Mais écoute-moi bien, mon enfant.
Une amitié excessive, telle que celle qui te
lie à ce garçon, est toujours à éviter. Dans le
cas particulier, vu la situation présente de
son père et la mienne, elle ne saurait sub-
sister. Je te prie donc de ne plus le considérer comme un de tes camarades.

Il avait repris sa physionomie habituelle.
Et tandis que je me retirais à reculons de
son cabinet, ayant devant les yeux son front
empreint de justice et d'austérité, je m'avisai avec stupeur combien ces vertus irré-
prochables favorisaient les décisions inhu-
maines et les pensées indignes.

Le lendemain matin, je trouvai de nouveau
Silbermann posté au coin de la rue. Il me
demanda anxieusement le résultat de ma
démarche. Je ne lui avouai pas la scène qui
avait eu lieu. Je lui dis seulement que mon
père ignorait encore l'affaire et qu'il ne
m'avait rien promis.

— Mais qui pourrait agir sur lui ? dit Silbermann avec impatience... Un de ses col-

lègues? Une personnalité politique?... Mon père en connaît plusieurs.

Je haussai les épaules et le détrompai. Était-il raisonnable de croire que celui qui avait accueilli si rudement la prière de son fils pût se laisser fléchir par un étranger?

Silbermann reprit d'un ton accablé :

— Ce matin encore, il y a dans *La Tradition française* un article terrible contre mon père. Maintenant que son cas est soumis à la justice, est-ce que ses ennemis ne devraient pas l'épargner?

Nous fûmes dépassés à ce moment par un groupe d'élèves de Saint-Xavier qui se rendaient au lycée et qui, ayant vu Silbermann, se retournèrent à plusieurs reprises, ricanant et sifflant. Aussitôt Silbermann se redressa et prit mon bras avec une feinte désinvolture, tout en me disant sourdement :

— Hein! Regarde-les... Quelle cruauté! Ah! je la sens bien, la charité chrétienne!

Puis il continua, avec une figure farouche :

— Mais ils ne triompheront pas de moi. Ils veulent me chasser d'ici. Je résisterai. Je leur prouverai que moi, je les ai, les qualités que l'on prête à ma race. Après tout, je ne suis pas le premier Juif que l'on persécute.

Et je sentis ses doigts qui s'agrippaient profondément à mon bras.

Mais s'il n'était pas le premier, on eût dit que sa chétive personne fût chargée de la réprobation universelle et légendaire jetée sur Israël. Car, au lycée, depuis que Silbermann passait pour le fils d'un voleur, ceux qui le taquinaient par simple jeu et non parce qu'il était Juif, changeaient de disposition à son égard. Il semblait que cette disgrâce eût ouvert leurs yeux; ils découvraient maintenant le type sémite de Silbermann, de même que l'on remarque le pouce monstrueux et les oreilles décollées de l'homme placé entre deux gendarmes. Mêlés aux autres, ils acceptaient de le flétrir par l'invective commode de « sale juif ». Et à présent, chacun, sans exception, accablait Silbermann sous l'opprobre de sa race. De même, chacun, sans distinction d'opinion, lisait le journal royaliste où tous les jours le père de Silbermann était traité de voleur, de pilleur d'églises, et dépeint sous des traits comiques et odieux. Silbermann en trouvait des exemplaires partout, jetés à sa place en classe ou glissés dans sa serviette.

Les attaques avaient repris et devenaient chaque jour plus violentes. On guettait l'arrivée de Silbermann dans la cour, et dès qu'il était aperçu, les huées s'élevaient. Alors je volais vers lui et lui frayais son chemin. Nous avancions ensemble au milieu de la poussée générale. Les railleries et les injures s'entrecroisaient sur notre passage et m'éclaboussaient.

— Voleur... En prison..., criait-on.

Craignant par-dessus tout, ainsi qu'il m'en avait fait part, que le retentissement donné à l'aventure de son père ne l'obligeât à quitter le lycée, Silbermann s'efforçait de ne pas grossir ces scènes et ne ripostait plus comme naguère. Endurant les insultes et les coups, baissant le front, il se dirigeait vers la classe avec une adroite ténacité, comme si atteindre son banc était la seule pensée dans sa tête.

Et moi, tandis que j'allais ainsi côte à côte avec lui, confondu dans la même ignominie, je savourais un sentiment délicieux. « Je lui offre tout, disais-je intérieurement, l'affection de mes amis, la volonté de mes parents et mon honneur même. » Et en me représentant ces sacrifices, je sentais un grand souffle gonfler ma poitrine, comme si j'avais été transporté soudain sur une cime.

Nos professeurs eux-mêmes ne dissimulaient pas à Silbermann leur improbation. L'un l'avait relégué au dernier banc de la classe et ne l'interrogeait que du bout des lèvres. L'autre tolérait sur le tableau noir les inscriptions insultant Silbermann qu'on y traçait fréquemment, et même se plaisait à les lire du coin de l'œil. Ces procédés n'échappaient pas à Silbermann, mais il ne le montrait point. Là encore, pour les mêmes raisons prudentes, il maîtrisait sa fierté et son caractère prompt. Je reconnaissais à peine sa figure; sauf une grimace amère de la bouche, comme s'il eût vraiment bu l'affront, elle prenait à ces moments une expression humble et insensible. On eût dit que maintenant, pour arriver à ses fins, il déguisât sa jeune et superbe nature sous un vieil habillement légué par ses pères, habillement servile et honteux mais d'une trame à toute épreuve.

Le tapage autour de Silbermann grandit au point que le proviseur fut obligé de prendre certaines mesures. On redoubla de surveillance dans notre cour. Un répétiteur fut chargé de se tenir à la porte du lycée et de l'escorter jusqu'à sa classe. Alors, on n'entendit plus cette rumeur qui annonçait sa venue, mais tous les élèves, formant la haie en silence, allaient le voir passer. Silbermann avançait. Son visage était affreusement pâle. J'apercevais entre ses paupières, fixement abaissées, un regard court et aigu, telle une dague perçant sa gaine. Il se glissait le long du préau, suivi d'un homme en noir à la physionomie sévère et ennuyée. Et cette sorte de cérémonie donnait à ses malheurs comme une confirmation officielle qui les aggravait.

Mais si douloureuse que fût sa situation, il l'acceptait.

— Tout m'est indifférent, me disait-il, pourvu que je reste au lycée.

Hélas! Il ne se doutait pas que ce serait à cause de celui-là même auquel il se confiait qu'il n'y resterait pas.

Un jour, comme nous venions de sortir du lycée où il avait dû subir quelque pénible avanie — et c'était peut-être aussi un jour que son père était interrogé — il se laissa aller au découragement.

— Je suis à bout, soupira-t-il. Toute cette haine autour de moi!... Ce que j'ai rêvé ne se réalisera jamais, je le vois bien... A quoi bon persister?... Je devrais partir.

Je voulus le réconforter et, pour qu'il sentît mon affection, je lui dis :

— Et moi? Que deviendrais-je si tu me quittais?

— Toi? répondit-il avec une certaine rudesse, tu ne tarderais pas à m'oublier, tu irais retrouver Robin.

Je protestai, indigné.

— Jamais.

Je saisis sa main et la gardai dans la mienne. Mais il continua ses lamentations; et son accent était si désespéré, si fatal, annonçait avec tant de force le dénouement inévitable que je lâchai sa main, comme cédant à l'injonction du destin. Et à cet instant, je vis, à quelques pas, sortie de l'ombre où sans doute elle guettait mon passage, ma mère. Cruelle exécutrice de l'arrêt que j'avais pressenti, elle avança vers moi.

— C'est ainsi que tu obéis à ton père, me dit-elle d'une voix haute et sévère.

Silbermann, ayant ôté son chapeau, s'était approché d'elle, la main courtoisement tendue.

Se tournant à peine vers lui, elle lui jeta sans pitié :

— Vous devriez comprendre, Monsieur, que les circonstances ont rendu impossibles toutes relations entre vous et mon fils.

Cet affront amena instantanément sur le visage de Silbermann une expression de haine qui, se mélangeant à sa première attitude, lui composa un masque bizarre et équivoque. Arrêté net dans son salut mais encore courbé, son corps parut prêt à bondir. Sa main, revenue en arrière, se dissimula par un geste contourné. Et je sentais au-dedans de cet être, longtemps opprimé, un bouillonnement si violent que, sa face un peu asiatique et son attitude double se rapprochant dans ma mémoire de je ne sais quelle image romanesque, j'eus la pensée que j'allais voir reparaître cette main, brandissant sur ma mère une longue lame courbe.

Il resta hésitant un moment, grimaça vers moi un sourire qui découvrit des mâchoires serrées, et nous tourna le dos.

Mais déjà ma mère m'entraînait à grands pas.

Son air n'eût pas été plus grave si elle m'avait surpris en train d'incendier notre maison.

— Malheureux! tu ne songes sans doute pas aux conséquences de tes actes — dit-elle d'une voix frémissante. — Ne comprends-tu pas que tu risques de ruiner la carrière de ton père?... Il suffirait que quelqu'un de malintentionné ébruitât tes relations avec ce garçon pour que ton père fût blâmé, changé de poste, destitué peut-être!... Et comment ne vois-tu pas qu'en même temps c'est ton propre avenir que tu es en train de compromettre? Ce Silbermann, ce Juif beau parleur, qui te mène comme il veut et que tu soutiens contre tous, que te donne-t-il en échange?... Il te fait perdre tous tes amis; il t'éloigne des milieux qui pourraient t'être utiles plus tard. Bientôt, il te faudra choisir une carrière, prendre ta course... Qui te mettra le pied à l'étrier? Un marchand d'antiquités plus ou moins véreux?... Bonne recommandation! Vois comme elle agit aujourd'hui : son fils et toi vous êtes dans la cour du lycée comme deux parias... oui, je sais cela. Je sais aussi que tu passes des journées entières dans la maison de ce garçon... Mon enfant, comment as-tu pu en arriver là?... Toi si délicat, si sensible à la tradition de notre famille... toi qui naguère n'admirais rien qui s'éloignât de notre foyer... qui répétais, quand tu étais petit, en te redressant : " Je veux ressembler à père et à grand-père "... comment te plais-tu à présent avec ces gens qui n'ont ni feu ni lieu?

En rappelant à ma conscience ces engagements puérils, ma mère espérait me regagner. Mais elle ne réussissait pas. Au contraire : frappé déjà par la manière brutale dont elle avait attaqué Silbermann, j'éprouvais à mesure qu'elle parlait une surprise qui m'éloignait d'elle. Cette voix que j'avais toujours entendue vanter le bien et la bonté trouvait des accents plus forts pour exalter l'intérêt et me pousser aux actes calculés. Était-ce possible? Je n'en revenais pas. Lorsqu'elle me demanda quels avantages je retirais de mon amitié avec Silbermann, je crus une seconde, dans l'obscurité tombée, qu'une autre femme, une inconnue, avait pris sa place et me questionnait. Je la regardai, étonné. Elle portait ce jour-là une ample mante de couleur sombre, qu'elle revêtait lorsque l'œuvre de bienfaisance dont elle était la secrétaire la chargeait de quelque enquête dans une famille d'indigents. Ainsi enveloppée, ses mouvements restaient cachés. Et je me demandais si les pensées véritables de ma mère ne s'étaient pas toujours dissimulées de la sorte sous des plis austères.

Son agitation ne s'apaisait pas. Elle attendait de moi une parole de soumission, une promesse. Mais je m'obstinai dans le silence. Nous arrivâmes à la maison. En me laissant, elle me dit :

— Puisque tu ne veux entendre raison, je saurai bien te soustraire à cette influence.

Le lendemain, qui était jour de congé, je ne vis pas Silbermann. Le jour suivant, il ne parut point à la classe du matin. Et bientôt on apprit que le proviseur avait envoyé une lettre à ses parents, leur donnant le conseil, vu le désordre dont il était la cause, de retirer leur fils du lycée.

VII

Comme je veux, aujourd'hui, retracer mes sentiments lorsque j'appris cette nouvelle, il me semble que mes souvenirs sont les lambeaux d'un rêve, et d'un rêve affreux. Je me retrouve au lycée, ayant presque perdu la notion de ce qui m'entoure, remarquant à peine les figures railleuses de mes compagnons et restant indifférent à leurs sarcasmes. Dans ma tête, des questions s'élancent avec un bourdonnement infini : « Est-ce ma mère qui l'a fait renvoyer?... Que devient-il?... Où le voir?... Comment le sauver? »

Je lui écris successivement deux lettres; elles restent sans réponse. Et comme je n'ose me présenter chez lui où je sais que maintenant mon nom est haï, je vais rôder autour de son habitation dans l'espoir de le rencontrer. Une fois, je m'enhardis à interroger quelqu'un de sa maison et, sur l'information vague qu'il est sorti, je décide d'attendre son retour. Il y a devant sa demeure un jardin dont la grille est entrebâillée. Je me glisse là et, posté dans l'obscurité, je surveille les allées et venues dans la rue. Tenant des mains les barreaux de fer dont le froid me glace, je jure de ne desserrer les doigts que quand Silbermann apparaîtra et pour me précipiter vers lui. Chaque ombre, chaque voiture qui passe, me font tressaillir. Les heures s'écoulent. La nuit est tout à fait tombée. Enfin, les mains engourdies, épuisé de fatigue, je rentre chez moi, me reprochant durement ce manque de fermeté. Mes parents, après m'avoir attendu longtemps, se sont mis à table et achèvent de dîner. Est-ce réellement moi, pour qui la règle du foyer fut toujours un évangile, qui rentre de la sorte, le visage hagard et sans un mot d'excuse? Est-ce moi, si épris des traits sereins de ma mère, qui les laisse ainsi désolés par l'anxiété et la peine? Est-ce moi, si respectueux envers mon père et si soumis, qui repousse sa demande d'explications avec un tel accent que mon père, décontenancé, bat en retraite?

Oui, ces scènes furent réelles; mais elles avaient la teinte d'un rêve ou plutôt il me semblait qu'elles s'enchaînaient hors de ma volonté. Et tout se présentait, ce soir-là, sous une apparence si nébuleuse que, regardant droit devant un miroir et apercevant un visage farouche et des yeux enfiévrés, je crus me trouver dans ma chambre d'Aiguesbelles, en face du portrait de mon oncle, l'étrange missionnaire en révolte contre sa famille.

Dix jours passèrent pendant lesquels je n'eus aucune nouvelle de Silbermann. J'avais peu de renseignements sur l'affaire de son père; je savais seulement, et par les journaux, que l'instruction se poursuivait et que mon père avait convoqué plusieurs témoins. Enfin, au bout de ce temps, je reçus une lettre de lui. Il m'offrait un rendez-vous, me fixait la date, et il ajoutait : « Je pars le lendemain. »

Le lieu qu'il m'avait indiqué était près de sa maison. Je m'y trouvai avant lui. Je le vis venir de loin; et, comme je l'aperçus, je me ressouvins de notre première rencontre. Il avançait avec la même démarche, tout agité, le front inquiet; mais, cette fois-ci, ce n'était point une apparence qui le faisait imaginer entouré d'ennemis.

Je courus vers lui. L'émotion, la gêne me firent balbutier je ne sais quoi. Il m'interrompit :

— Je n'ai pas répondu à tes lettres, parce que je n'ai voulu être cause d'un désagrément entre tes parents et toi.

Son ton était très calme, mais je sentais qu'il se contenait. Il reprit :

— Tu sais que ce sont eux qui ont demandé mon renvoi du lycée?

Je fis un geste navré.

— Oh! Cela vaut peut-être mieux. Ma situation était devenue impossible... Alors — continua-t-il d'une voix moins assurée — je pars... je pars demain... pour l'Amérique.

— Tu vas en Amérique? m'écriai-je. Mais pour combien de temps? Quand reviendras-tu?

— Jamais, répondit-il d'un ton résolu. Je m'établis chez un de mes oncles.

J'étais consterné.

— Pourquoi prendre une telle décision? murmurai-je faiblement en saisissant ses mains.

— Pourquoi?... Parce que l'on m'a chassé de ce pays, déclara-t-il en se dégageant par une saccade.

Un passant remarqua ce geste et se mit à nous observer.

— Prends garde, dit ironiquement Silbermann. Ne restons pas ici. Il ne faut pas que tu sois vu en aussi indigne compagnie.

Il m'entraîna vers le bois de Boulogne. Nous prîmes un petit chemin qui serpentait sur les fortifications et où personne ne se montrait. Je marchais silencieusement à son côté. Mes bras, écartés par lui, étaient retombés et me semblaient tirés par des poids.

— Oui — dit-il, étouffant avec peine sa colère — je pars, j'abandonne mes études, je renonce à tous mes projets. Le frère de mon père, mon oncle Joshua, qui est courtier de pierres précieuses à New York, me prend dans ses affaires.

« Ils triomphent, les *Français de France*! Songe donc : un Juif de moins auprès d'eux!... On va se réjouir à Saint-Xavier lorsqu'on apprendra cette nouvelle!... Ah! les imbéciles! Croient-ils, parce qu'ils ne me verront plus ici, qu'ils auront un ennemi de moins? Ne savent-ils pas que c'est pour avoir été rejetée toujours et par tous que notre race s'est fortifiée au cours des siècles? »

Sa voix sifflait. Les muscles de son cou,

raides et gonflés, faisaient penser à une nichée de serpents redressés.

Puis, éclatant tout à coup et lançant les mots avec feu comme s'ils jaillissaient d'un brasier secret :

— Pourquoi cette explosion d'antisémitisme en France? Pourquoi l'organisation de cette guerre contre nous? Est-ce un mouvement religieux? Est-ce le vieux désir de vengeance qui se ranime?... Allons donc! votre foi n'est plus si vive! Non, ce n'est pas si haut qu'il faut chercher les raisons de vos attaques. Je vais te dire quels sont les véritables mobiles qui vous font agir : c'est un bas égoïsme, c'est l'envie la plus vile. Depuis quelques années, il est venu dans votre pays des gens plus subtils, plus hardis, plus tenaces, qui réussissent mieux dans toutes leurs entreprises; et au lieu de rivaliser avec eux pour le meilleur résultat commun, vous vous liguez contre eux et cherchez à vous en débarrasser. Votre haine, c'est le sentiment qui fait que quelquefois dans une équipe d'ouvriers, celui qui travaille plus habilement ou plus vite reçoit des autres un coup de couteau. Cela est si vrai que la classe la plus acharnée contre nous est la bourgeoisie, la haute bourgeoisie, parce qu'elle voit apparaître des concurrents dans des carrières qui jusqu'ici étaient son apanage. Regarde la fureur avec laquelle ton ami Robin, dont la nature est pourtant bien innocente, défend la charge de son père, le notaire, celle de son oncle, l'agent de change. C'est autour de lui, bien plus que dans l'aristocratie, laquelle en raison de son oisiveté a besoin de notre richesse, bien plus que dans le peuple, qui ignore tout de cette prétendue guerre traditionnelle, que l'on crie le plus fort " Mort aux Juifs ".

« Il y a, il est vrai, le cas d'un Montclar, mais de tels cas sont l'exception. Ils se produisent lorsque l'hérédité d'un lointain ancêtre noble — chef de bandes qui vivait d'aventures — se réveille tout à coup et veut s'exercer dans un temps qui n'est plus celui des croisades et des grandes rapines. Nés violents et durs, méprisant la pensée, répugnant à tout métier, ceux-là se jettent dans toutes les querelles, si déloyales, si funestes qu'elles soient, et finalement, désœuvrés dans notre civilisation, ils vont se faire tuer en Afrique.

« Comment justifiez-vous votre aversion pour le Juif? Par les traits affreux que la légende lui attribue?... Ils sont tous absurdes. Sa ladrerie, par exemple?... Tiens, regarde plutôt par ici, considère ces maisons... »

Il me désignait le riche quartier, nouvellement fondé à la Muette, en bordure du Bois. Toutes les habitations, par leur architecture, éveillaient l'idée du luxe et de la prodigalité.

— Là est l'hôtel que Henri de Rothsdorf fait construire pour ses collections. Derrière, se trouve celui de Raphaël Léon, qui a fait copier un pavillon Louis XVI. Ce toit élevé, c'est la maison qui appartient à Gustave Nathan, le plus bel immeuble de Paris, dit-on. A côté est celle où j'habite, ainsi que les Sacher et les Blumenfeld. Et ainsi de suite... Je pourrais te citer toutes les constructions voisines. C'est une vraie juiverie que ce quartier. Mais elle n'est pas mal, hein? Nous faisons bien les choses!... Quoi donc encore? Les Juifs sont sales?... Vraiment? Où crois-tu que l'on trouve plus de salles de bains, dans ces maisons-là ou dans les hôtels du Faubourg?... Ils sont rapaces aussi?... Est-ce que tout homme qui travaille ne cherche pas à gagner de l'argent?... Ils sont voleurs?... Ah! mon ami, si tu connaissais les louches brocantages que les plus beaux noms de France viennent proposer à mon père, tu conviendrais que notre façon de nous enrichir dans les affaires est bien honnête. Si tu avais entendu, comme moi, la scène qui a eu lieu un jour, chez nous, entre le duc de Norrois et mon père, tu serais éclairé. Norrois, dans je ne sais quel marché, avait volé mon père, mais là, volé, ce qui s'appelle voler. Mon père l'avait découvert. De la pièce voisine je l'entendais qui criait : " Comment! Vous avez fait cela? " Ah! il ne lui donnait plus du monsieur le duc!... Et l'autre, la voix suppliante : " Du calme, mon bon Silbermann, du calme... je réparerai tout... vous serez indemnisé... je vous en donne ma parole. " Le lendemain, la duchesse de Norrois envoyait des fleurs à ma mère. Mon père n'a jamais été remboursé de ce qu'il avait perdu. Il n'a jamais porté plainte.

« Je sais, je sais... vous n'alléguez pas

seulement contre nous les tares indivi-
duelles. Vous soulevez des questions plus
graves. Il y a, paraît-il, l'inconvénient
social : nous formons un État dans l'État;
notre race ne s'assimile pas au milieu; elle
ne se fond jamais dans le caractère d'un
pays...Comment en jugez-vous? Est-ce
possible autrement? Durant des siècles nous
avons vécu parqués comme des troupeaux,
sans alliances concevables avec le dehors. Il
n'y a pas cent ans que, en certains pays, nous
avons cessé de voir des chaînes autour de
notre résidence. Veut-on que nos liens héré-
ditaires se dénouent du jour au lendemain?
Et ne comprenez-vous pas que vos dispositions haineuses ne font que les resserrer? Et
puis, est-ce que chacun, dans une même
nation et malgré un sang collectif, n'est pas
soumis aux courants variés de son hérédité,
hérédité de classe, hérédité de religion? Si,
moi, je suis Juif, es-tu assez protestant, toi,
avec ta conscience scrupuleuse, tes pactes
solennels, ton prosélytisme sournois, ta sen-
timentalité retenue sous un air austère? Ah!
tu es resté bien fidèle à tes ancêtres calvi-
nistes. Et entre un Montclar, issu d'une caste
de chefs, rebelles même à leur prince; un La
Béchellière, fils de médiocres hobereaux qui
n'ont jamais vu plus loin que l'étendue de
leurs terres; un Robin dont la famille n'a
pris rang que depuis la Révolution; et toi,
d'une humble lignée huguenote... il y a
autant de différence qu'entre des types de
races distinctes; il y a chez vous autant
d'éléments prêts à se combattre. »

J'essayai de placer un mot. Il me retint d'un geste impérieux et repartit avec véhémence :

— Mais ce n'est pas tout. Votre grand grief, c'est l'esprit juif, le fameux esprit juif, ce dangereux instinct de jouissance immédiate qui corrompt tout génie, empêche de rien créer qui soit éternel, avilit la pensée!... Or, ne crois-tu pas qu'un peu de cette semence pratique ferait du bien à votre sol? Si dans ce pays partagé entre les visionnaires du passé et ceux de l'avenir, quelques hommes venaient qui vous enseigneraient à tirer plus de profit du temps que vous passez sur terre, n'apporteraient-ils pas précisément ce dont vous avez besoin? Et si, une fois mêlées au vôtre, quelques gouttes de ce sang nouveau, riche en sensualité, redoublaient chez vous la faculté de sentir, vous ne seriez pas transformés, comme certains le craignent, en bêtes flairant les choses. L'intelligence d'Israël a brillé assez à travers les âges pour que vous soyez rassurés.

Il se recueillit un instant. Sa fougue parut calmée; et il reprit d'un ton tout pénétré d'une étrange poésie :

— Être Juif et Français, que cette alliance pourrait être féconde! Quel espoir j'en tirais! Je ne voulais rien ignorer de ce que vous avez pensé et écrit. Quelle n'était pas mon émotion lorsque je prenais connaissance d'une belle œuvre née de votre génie! Tu le sais, toi, tu m'as vu à ces moments. Il m'arrivait alors de rester silencieux; tu me questionnais en vain... C'est que j'écoutais cette beauté s'unir lourdement à mon esprit, oui, à mon vil esprit juif!

« Je me souviens du jour où j'ai ouvert pour la première fois les *Mémoires d'Outre-tombe*. Je ne connaissais que le *Génie du Christianisme;* je jugeais mal Chateaubriand; je n'aimais pas ces tableaux pompeux et froids. Et tout à coup, je contemple Combourg; je découvre le passage sur l'Amérique, sur l'émigration, je suis entraîné dans le tumulte prodigieux de ce cerveau... Quelle fièvre m'a saisi! En moins d'une semaine, j'ai dévoré les huit volumes. Je lisais une partie de la nuit et, lorsque j'avais éteint la lumière et fermé les yeux, certaines phrases restaient dans ma tête comme des feux éblouissants qui me tenaient éveillé.

« Je me souviens aussi des heures passées à former et reformer mes projets d'avenir : d'abord le plan de mes études au sortir du lycée, puis le sujet de mes premiers essais. Je n'avais point d'impatience, car je ne voulais pas être marqué de la hâte et de l'avidité que l'on reproche à ceux de ma race. Pourtant, je rêvais du jour où je lirais mon nom imprimé... Eh bien! ce souhait s'est réalisé. Une fois mon nom a été imprimé; et il était même suivi d'une description. C'était dans *La Tradition française* : Silbermann fils, un hideux avorton juif... Ainsi vous m'avez accablé de coups, moi qui ne songeais qu'à vous servir. »

Sa voix était étranglée. Il s'arrêta et baissa

la tête. Des larmes coulèrent sur ses joues.

Ce discours singulier, ce mélange de plaintes et de malédictions, m'avait apitoyé et indisposé tout à la fois. Je profitai de son trouble pour lui répondre.

— Mais je n'ai pas agi ainsi, protestai-je. Je t'ai tout donné. Je t'aurais sacrifié tout. Combien de fois te l'ai-je prouvé!

Alors, relevant la tête et redressant brusquement le ton :

— Crois-tu donc que je ne le méritais pas? N'en déplaise à ta mère, cette bonne pròtestante qui a si bien pratiqué à mon égard la charité évangélique, mon amitié valait mieux pour toi qu'aucune autre, sois-en assuré. Rappelle-toi nos entretiens, songe à tout ce que je t'ai fait connaître et comprendre. Trouvais-tu un profit analogue auprès de tes camarades ordinaires et même auprès des gens de ton entourage?... Allons, réponds!... Mais je n'ai qu'à revoir ta figure lorsque tu m'écoutais, je n'ai qu'à répéter tes propres paroles. Une fois tu m'as dit que dans une conversation avec moi tu avais l'impression que les idées te venaient plus vite, plus nombreuses, et que tu pouvais les développer plus intelligemment... Eh! c'est un mérite estimable que d'exercer une telle action sur l'esprit de quelqu'un. Cette capacité d'animer un cerveau n'est pas départie, que je sache, aux êtres inférieurs... Oui, voilà le fait qui domine tout : nous sommes mieux doués que les autres, nous sommes supérieurs. Si tu n'en es pas convaincu, compte-nous à travers le monde : sept millions... en France quatre-vingt mille... puis vois les places que nous occupons. Écoute bien ce que je vais te dire : le peuple d'élection, ce n'est pas une divagation de prophète mais une vérité ethnologique qu'il vous faut accepter.

Il s'interrompit et humecta ses lèvres comme altérées par cette proclamation ardente. Tout en parlant, il était allé se placer à quelques pas devant moi, sur une petite élévation que formait le terrain et d'où il dominait l'espace environnant. A travers les larmes une expression superbe avait paru sur sa face; ses lèvres, devenues vermeilles, étaient épanouies. C'était Sion renaissant de ses ruines.

Le ciel, ce jour-là, présentait un aspect qui frappait. D'un côté, le soleil, se rapprochant de l'horizon, couvrait la terre d'une lumière orange et faisait imaginer de chaudes contrées méridionales. Et à l'opposé, plus haut, frileusement cachée en partie dans un azur neigeux, une lune pâle transportait l'esprit sous un climat boréal. Sur ce fond qui contenait l'univers, la silhouette de Silbermann se dressait telle une vision allégorique. L'air tremblait sous ses paroles, était fouetté par ses bras. Il semblait le maître du monde.

— Comprends-tu à présent combien j'ai été outragé? reprit-il. Et me demandes-tu encore pourquoi je quitte la France sans intention de retour?... Oh! je sais, j'aurais pu supporter ces débuts difficiles, m'habituer ou patienter, comme bien d'autres de ma race. Non, ceux-là je vous les laisse. Vois-tu, chaque pays a les Juifs qu'il mérite... ce n'est pas de moi, c'est de Metternich.

« Maintenant, je suis sorti de mes rêves. En Amérique, je vais *faire de l'argent*. Avec le nom que je porte, j'y étais prédestiné, hein!.. David Silbermann, cela fait mieux sur la plaque d'un marchand de diamants que sur la couverture d'un livre! Je ne me suis guère préparé jusqu'ici à cette profession, mais mon avenir ne m'inquiète pas; je saurai me débrouiller. Là-bas je me marierai suivant la pure tradition de mes pères. De quelle nationalité seront mes enfants? Je n'en sais rien et ne m'en soucie pas. Pour nous, ces patries-là ne comptent guère. Où que nous soyons fixés à travers le monde, n'est-ce pas toujours en terre étrangère? Mais ce dont je suis sûr, c'est qu'ils seront Juifs; et même j'en ferai de bons Juifs, à qui j'enseignerai la grandeur de notre race et le respect de nos croyances. Alors, s'ils sont hideux comme moi, s'ils ont une âme aussi tourmentée que la mienne, s'ils souffrent autant que j'ai souffert, n'importe! ils sauront se défendre, ils sauront surmonter leurs épreuves. Ils seront soutenus par ces secrets invincibles que nous nous transmettons de génération en génération, par cette espérance tenace qui nous fait répéter solennellement depuis des siècles : " L'an prochain à Jérusalem. " Non, je ne suis pas en peine de ce qu'ils deviendront. Si c'est la puissance de l'argent qui prime toutes les autres, ils suivront la même voie que leurs pères. Si cette souveraineté est ébranlée, si un principe nouveau vient bouleverser l'ancien ordre, alors ils changeront de profession, de nom, et ils exploiteront les idées régnantes, tandis que vous autres, pauvres niais, vous vous y opposerez ou vous les subirez, mais vous ne les utiliserez pas.

« Voilà. J'ai fini. Je désirais faire entendre toutes ces choses à quelqu'un. Maintenant nous n'avons plus rien à nous dire. Adieu. »

Il toucha mon épaule d'un geste définitif, descendit du glacis en trois bonds et en un moment il disparut, comme un prophète cesse d'être visible aux yeux des humains qu'il vient d'avertir.

Je le laissai aller sans un mot, sans un geste. J'étais comme stupéfait. Après quelques instants, tandis que les paroles que j'avais entendues retentissaient encore en moi, je regardai alentour. Les fortifications m'offraient une perspective désertée. Assez loin, au pied d'un bastion, un groupe de soldats s'exerçaient au clairon. Ils m'apparurent minuscules et pareils à des jouets.

VIII

Ce fut ma dernière entrevue avec Silbermann. Notre séparation me fut moins douloureuse à la suite de ces étranges adieux.
Toutefois lorsqu'il eut cessé définitivement
d'être mêlé à ma vie, je tombai dans une
profonde désolation. Ni sa personne même
ni la fin de notre amitié n'en étaient cause.
Je souffrais de ne plus recevoir, chaque
matin, à mon réveil, en même temps que la
première flèche du jour, l'inspiration de
cette tâche glorieuse. Habitué aux rudes
efforts et aux sacrifices qu'elle m'imposait,
je me résignais mal à des actes indifférents
et sans nobles visées. L'existence avait
perdu tout prix et m'apparaissait affreusement morne.

Cette impression provenait aussi de ce que
Silbermann, en m'apportant une multitude
de notions nouvelles, avait détruit la plupart
de celles que je possédais. Et maintenant
que son esprit mobile n'était plus là pour
entraîner le mien, je m'apercevais de ces
ruines.

Elles se trouvaient partout.

Enclin à contredire, prompt à exercer son sens critique, Silbermann m'avait rendu habile à discerner le défaut des choses. Ainsi, en matière de littérature, il avait l'habitude d'appuyer toute admiration par quelque dénigrement; et comme son goût changeait souvent, il était fréquent de l'entendre dépriser par un raisonnement subtil une œuvre que peu auparavant il avait placée au-dessus de toute autre. Je l'avais trop écouté. Par ces rabaissements successifs il avait abouti à me démontrer l'imperfection de tout ce que j'avais lu. Maintenant, quand je relisais un livre que j'avais aimé naguère, je ne retrouvais plus jamais le même sentiment absolu. La notion obscure que toute qualité est relative empoisonnait les jouissances que me procurait la lecture et arrêtait mes curiosités nouvelles. Enfin, instruit par Silbermann avec légèreté et confusion, je ne voyais plus, dans tout ce que les hommes ont écrit, qu'un stérile remuement de pensées et d'images qui se perpétuait depuis des siècles. Et devant ma bibliothèque, comme si la trop avide intelligence du jeune Juif m'eût communiqué la satiété fameuse d'un de ses rois, je songeais aux paroles de l'*Ecclésiaste* : « Quel avantage revient-il à l'homme de la peine qu'il se donne?... Tout n'est que vanité et poursuite du vent. »

Mais c'était dans notre foyer que les ruines causées par Silbermann étaient le plus sensibles. Là, tous mes dieux étaient renversés. Les idées en honneur, nos petites lois domestiques, notre conception du beau, tout avait perdu son prestige. Et l'autorité de mes parents devait subir bientôt une déchéance pareille.

Déjà, depuis quelque temps, je n'avais plus la même vénération aveugle envers eux. J'avais eu le soupçon à deux reprises que certaines de leurs pensées m'avaient toujours échappé. Je n'avais pas oublié l'étrange figure de mon père s'acharnant à m'imputer des actions infâmes ni l'attitude de ma mère cherchant à me détacher de Silbermann par les moins nobles arguments.

Un soir, comme j'allais pénétrer dans la salle à manger où ils se trouvaient, j'entendis prononcer le nom de Silbermann. Je m'arrêtai sur le seuil. J'étais caché par une portière.

— Sa culpabilité ne fait point de doute, disait mon père. Mais en somme on peut dire que les charges relevées contre lui ne sont point précises.

— S'il en est ainsi, mon ami, considère combien l'appui d'un député influent peut te servir. En faisant ce que Magnot te demande, tu acquiers tous les droits à sa reconnaissance.

Je soulevai la portière et entrai.

Ma mère s'interrompit. Son visage et celui de mon père prirent aussitôt cette contenance grave et recueillie que je leur voyais toujours au moment que nous nous installions à la table du repas. Oui, c'était devant moi, sous la lumière du globe suspendu, le tableau quotidien, la cérémonie habituelle. Cependant, le changement de leur physionomie n'avait pas été si prompt que je n'eusse surpris dans les traits de ma mère une expression mélangée de cupidité et d'insistance, et dans le regard de mon père une sorte de vacillement. Alors, brusquement, la question que Silbermann m'avait posée un jour me revint en mémoire : « Qui pourrait agir sur ton père?...une personnalité politique?...Mon père en connaît plusieurs. » Je compris que l'on avait fait certaines démarches en faveur du père de Silbermann; je compris que ma mère, mise au courant des faits, était en train d'évaluer avec une âpre reconnaissance le profit à tirer de la situation, et que le juge, mon père, qui avait toujours présenté à mes actes l'exemple d'une droiture inflexible, hésitait et même penchait vers la fraude.

Je pris place entre eux. Mes pensées étaient vagues. Il me semblait que le sol sur lequel j'avais posé mes pas jusqu'ici perdait soudain toute fermeté. Mes parents se doutaient-ils que j'avais surpris leur conversation? Je ne sais; toutefois j'ai le souvenir d'une certaine gêne chez eux. Ils m'observaient à la dérobée. Le repas commença en silence.

Je songeais au sermon sur l'intégrité de la justice que mon père m'avait fait entendre dans son cabinet, à son accent majestueux et quasi divin lorsqu'il prononçait le mot *conscience*. Je songeais aux blâmes sévères que ma mère portait si souvent sur les actions des autres. « Ils n'agissent point comme ils

me le donnent à croire, disais-je intérieure-
ment, ils me trompent, ils m'ont toujours
trompé. »

Cette pensée réfléchissait sa lumière sur le
passé. J'avais souvent comparé la conduite
de mes parents et le système de leurs actes à
ces tapisseries au canevas que ma mère bro-
dait avec patience et régularité durant nos
veillées. Et maintenant, il me semblait
découvrir l'envers de l'ouvrage; derrière les
lignes symétriques et les beaux ornements aux tons francs, j'apercevais les fils
embrouillés, les nœuds, les mauvais points.

Mes parents m'adressèrent quelques
paroles engageantes. Je répondis par monosyllabes. Le regard fixe, je revoyais, comme
si la tapisserie s'était déroulée devant moi,
leurs gestes simples, leurs préceptes stricts,
leurs nobles actions; et chacune de ces belles
images s'ajustait à une trame horrible. Ah!
je me souciais peu que ce qu'ils ourdissaient
maintenant eût pour conséquence de sauver
le père de Silbermann! Dans le soudain bou-
leversement de mes notions morales je ne
pensais plus à cet événement.

Bien mieux, au lendemain de cette scène,
espérant de toute mon âme que mon père
ne céderait pas aux pressions exercées sur
lui, je souhaitai que la preuve m'en fût
donnée par la mise en accusation de l'antiquaire. « Sa culpabilité ne fait point de
doute », avait affirmé mon père. Et je trem-
blais qu'il ne se prononçât contrairement à
cette conviction.

Quelques jours plus tard, ma mère, me

prenant à part avec une mine mystérieuse et complice, me dit que puisque je m'intéressais au père de mon ancien camarade, je pouvais être rassuré sur son sort : les conclusions de l'instruction lui étaient favorables et seraient certainement approuvées par le parquet.

Ainsi, la conscience de mon père, qui était restée fermée à tout sentiment de pitié, avait fléchi devant la considération d'un avantage personnel.

J'écoutais les paroles de ma mère avec un air si méprisant qu'elle rougit et détourna la tête.

Peu après, en effet, une ordonnance de non-lieu fut rendue en faveur du père de Silbermann. Et par un singulier revirement, cette décision que nous avions tous deux si impatiemment attendue naguère toucha peut-être à peine Silbermann dans sa nouvelle patrie; et moi, à qui elle confirmait l'indignité de mon père, je l'accueillis avec des larmes de honte.

Alors, après ce dénouement, un sentiment de révolte éclata en moi contre mes parents. Je pensais avec colère aux rigides principes de morale qu'ils m'avaient inculqués sans les observer eux-mêmes; je pensais à la voie étroite et difficile que je m'étais toujours évertué à suivre? Vers quel but? Et de quelle utilité cette dure servitude? Quelquefois, dans la rue, par le goût de m'imposer de petits devoirs, je m'appliquais à marcher sur la ligne marquant la bordure du trottoir. N'était-ce pas d'une manière analogue que je me conduisais dans la vie, regardant à peine les choses, l'esprit obsédé par une règle aussi rigoureuse et aussi absurde?

Je comptais toutes les privations que je m'étais infligées; je songeais à la réduction que je faisais constamment subir à mon être, lorsque, avec autant de soin et autant de joie que mon grand-père tandis qu'il rognait sa vigne, je retranchais mes sentiments trop vifs et réprimais mes beaux désirs.

Il me parut qu'on avait abusé de ma crédulité d'enfant; et avec une sourde violence, je me dressai contre ceux dont j'avais été la dupe. J'évitai autant que je pus la compagnie de mes parents. Peu à peu, je cessai même de leur adresser la parole.

Je ne sais ce qu'ils pensaient de ma conduite, car j'affectais d'ignorer leur présence et ne levais plus jamais les yeux sur eux. Néanmoins il m'arrivait parfois de les épier obliquement dans un miroir ou dans une surface polie, et j'apercevais alors le regard de ma mère désespérément attaché à ma personne.

Quelque temps passa. Je vivais dans un affreux ennui, n'ayant plus foi en la vertu et n'ayant point le goût du mal.

Un soir, comme je rentrais à la maison, je vis ma mère venue à ma rencontre dans l'antichambre. Elle tenait à la main un journal et me dit avec une émotion joyeuse :

— Ton père est nommé conseiller à la cour. La nouvelle est annoncée officiellement ce soir.

A ces mots, en dépit de mes efforts pour rester insensible, je ne pus réprimer un signe d'intérêt. C'est que cet avancement était attendu dans ma famille depuis des années. Maintes et maintes fois j'en avais entendu parler. Je savais qu'il marquait une étape considérable dans la carrière de mon père. Je n'ignorais pas l'activité déployée par ma mère pour le hâter. « Passer à la cour! »... s'exclamait-elle souvent en joignant les mains.. Toutes ces pensées me remuaient malgré moi...

Ma mère discerna sans doute ce trouble. Elle dit gravement ces simples mots :

— Mon enfant, ne te joindras-tu pas à nous en ce jour de bonheur?

Je levai les yeux vers son visage.. Depuis longtemps je m'en étais obstinément détourné. Et comme si retrouver ce visage me l'eût mieux fait voir, j'y découvris certains signes que je n'avais pas remarqués encore : quelque chose d'épuisé dans les orbites et un certain amincissement aux tempes. Il me parut pour la première fois que cette figure n'était point formée, ainsi que les enfants le croient de leurs parents, d'une chair inaltérable et comme idéale, mais, au contraire, périssable et qui déjà était usée. Je ne sais quel fut le sentiment qui se fit jour dans mes yeux; mais je vis ma mère qui abaissait la tête et faisait un geste accablé. Alors, fondant en larmes, je me jetai tout d'un coup vers elle.

Je ne pleurais pas seulement par attendrissement ou par repentir; je pleurais surtout sur la misère qui se révélait à moi. Car j'avais compris, en reconnaissant la fragile matière de ce pur visage, qu'il n'est point d'âme, toute vertueuse et toute tendue à la sainteté qu'elle est, qui puisse s'élever hors de l'imperfection humaine. J'avais compris que l'application d'une haute morale est impossible à aucun d'entre nous. Et je pensais tristement qu'il me fallait renoncer aux belles missions que j'avais rêvé d'accomplir.

Sans doute ma mère distingua-t-elle la vraie raison de mes larmes. Une expression de douleur et d'humiliation parut sur ses traits. Peut-être allait-elle me confier combien elle avait souffert, au cours de sa vie, de ses luttes morales et de ses défaillances. Mais je voulus lui épargner tout aveu et appuyai doucement mon front sur ses lèvres frémissantes.

Entraînant avec légèreté son fardeau, elle poussa la porte du cabinet de mon père. Mon père sourit à notre vue et, laissant son travail, il vint vers nous. Il me baisa au front. Nous restâmes tous les trois unis un moment. La servante entra et annonça le dîner. Alors, à ces mots, mon père, récitant le verset avec une pointe d'enjouement :

— Mangeons et réjouissons-nous, car mon fils que voici était mort et il est revenu à la vie; il était perdu et il est retrouvé.

Et ma mère, avec des mouvements ravissants, fit le geste de me vêtir d'une belle robe et de me passer au doigt un anneau, ainsi qu'il est écrit au retour de l'enfant prodigue.

Au lycée, après le départ de Silbermann, je m'étais replié dans l'isolement auquel m'avait condamné mon amitié pour lui. Avec une rancune tenace je restais parmi mes compagnons aussi fermé et aussi farouche qu'en face de mes parents. Et puis, est-ce qu'aucun d'eux était capable de remplacer Silbermann? En voyais-je un seul, même entre ceux qui goûtaient le plus les choses de l'esprit, qui fût animé d'une passion intellectuelle semblable à celle du jeune Israélite? Quand je pensais à la curiosité qui agitait perpétuellement celui-ci, quand, rappelant nos entretiens, je me remémorais cette qualité brûlante et capiteuse qu'il savait donner aux idées abstraites, il n'y avait point d'intelligence autour de moi qui ne me parût dénuée et sans force.

Cependant, j'aurais pu renouer facilement quelques camaraderies, car le conflit qui m'avait fait mettre à l'écart était oublié peu à peu. Au-dehors, l'activité des partis politiques s'était amortie et la ligue des *Français de France* avait perdu beaucoup de son importance. A l'intérieur du lycée, l'excitation antisémite avait cessé pour plusieurs raisons. D'abord, les Juifs étaient chaque jour en plus grand nombre et, de ce fait, moins remarqués. Puis, à la suite d'une grave incorrection envers un professeur, Montclar avait été renvoyé. Privés de leur chef, ses compagnons s'étaient calmés; La

Béchellière avait repris ses manières froides et gourmées, et Robin était retourné à d'inoffensifs plaisirs.

Je ne pensais plus guère à Robin et ne cherchais pas à me rapprocher de lui.

Un jour, environ le printemps, comme nous étions en classe, je le vis qui rêvait avec une gravité inaccoutumée vers la croisée. On apercevait à travers la vitre, détachés sur le ciel bleu, les premiers rameaux verdoyants. Puis, soudain, son regard se dirigea de mon côté et se posa lentement sur moi. Mais ne recueillant aucun consentement, aucune réponse, ce regard repartit. La surprise passée, ce signe de concorde ainsi hasardé m'émut profondément. Je songeai, sans bien savoir pourquoi, au premier coup d'aile de la colombe après les sombres jours du déluge; et j'eus le présage d'un apaisement définitif de toutes choses. Mais soit fierté, soit faiblesse, nous n'osâmes rien l'un envers l'autre; et plusieurs semaines passèrent sans nouvelle tentative.

Le printemps apporta, cette année, une chaleur prématurée. Les pluies furent rares, et l'air, sous le ciel ardent, fut étouffant.

Dans la solitude où je me trouvais, j'étais particulièrement sensible à cette aridité; j'éprouvais comme une altération de tout mon être et rêvais d'une source nouvelle qui rafraîchirait ma vie.

Un soir, sur le chemin de la maison, je passai devant l'école Saint-Xavier. C'était l'heure de la sortie. La température était tiède. Le soleil se couchait derrière quelques nuées. Et soudain, sans un coup de tonnerre, dans l'air entièrement calme, de grosses gouttes de pluie commencèrent à tomber. J'allais m'abriter contre un mur, sous un échafaudage qui était en saillie. Les élèves de Saint-Xavier s'éparpillèrent dans la rue. Quelques-uns, des plus jeunes, qui portaient encore l'uniforme de l'école, la courte veste bleue et la casquette ornée d'un ruban de velours, se mirent à courir et, par jeu, levant les bras, criant sous l'ondée bienfaisante, adressèrent des louanges au ciel.

Je les regardai, à l'étroit dans mon coin, et haussai les épaules. En raison de mon caractère volontiers secret ou d'une éducation un peu puritaine, j'avais toujours considéré la libre expansion de la joie comme une manifestation choquante et niaise. Et cependant, il y avait tant d'ingénuité et de gentillesse dans les mouvements et les mines de ces garçons, ils me parurent avec une telle évidence plus heureux que je ne l'étais, que l'envie me vint de me mêler à eux et de recevoir le même baptême délicieux...

A ce moment, quelqu'un, qui tête baissée se protégeait contre la pluie, vint se réfugier à côté de moi. Sous l'abri, la tête se releva; et je reconnus Philippe Robin. En me voyant, il eut une expression gênée, rougit et esquissa un sourire. Sans rien dire, je m'écartai un peu pour lui faire place. Et comme je faisais ce mouvement je découvris derrière nous un dessin sur le mur. C'était une caricature au fusain représentant grossièrement Silbermann. Les traits avaient pâli, mais ils avaient entaillé la pierre et étaient encore bien visibles. On reconnaissait, surplombant le cou maigre, le profil anguleux, le nez recourbé, la lèvre pendante. Au-dessous on lisait encore une inscription : Mort aux Juifs.

Le regard de Robin s'était porté en même temps que le mien vers le mur. Il rougit plus fort, hésita un instant, puis, d'une voix humble et caressante, il murmura :

— Veux-tu que nous oubliions tout cela et que nous redevenions amis ?

Oublier ?... Était-ce possible ? A la vue du dessin et de l'inscription, une ardeur mystique s'était rallumée en moi. Je pensais à ce que j'avais appelé ma mission, je me remémorais ma promesse initiale, la longue lutte soutenue, mes efforts pour sauver Silbermann ; j'avais le souvenir du frissonnement extraordinaire qui s'emparait de moi lorsque, à ses côtés, honni et frappé autant que lui, je répétais : « Je lui sacrifie tout... » Non, ces choses ne pouvaient point s'effacer. La moindre parole de réconciliation me parut un reniement. J'eus l'impression qu'elle ne pourrait sortir de ma gorge ; et raidi, les dents serrées, je demeurai dans un silence farouche.

Mais comme je repassais mentalement par ces épreuves, j'aperçus la voie où j'étais engagé ; voie difficile, abrupte, où l'on gravit sans repos, où l'on se heurte à mille obstacles, où le moindre trébuchement amène une chute. J'eus la vision d'une vie pénible et dangereuse au cours de laquelle on s'écorche davantage chaque jour. Et vers quel but ? Ne savais-je point maintenant que sur les sommets auxquels j'avais rêvé d'atteindre, nul humain ne vivait ?

Philippe Robin, attendant une réponse, ne disait plus rien, mais il m'observait du coin de l'œil. Son visage était gai et serein. Il semblait se tenir sur une route bien plus facile, où étaient ménagés des biais commodes, des sauvegardes propices, et qui côtoyaient les abîmes sans s'y perdre jamais.

J'eus le sentiment que j'étais placé devant ces deux chemins et que mon bonheur futur était suspendu au choix que j'allais faire. J'hésitais... Mais tout d'un coup le paysage du côté de Philippe me parut si attrayant que mon être se détendit ; et faiblement, je laissai échapper un sourire. Philippe, devinant mon acquiescement, mit la main sur mon épaule. La pluie avait cessé. Il m'entraîna.

Et comme je faisais le premier pas avec lui, je me retournai vers la caricature de Silbermann et, après un effort, je dis sur un petit ton moqueur dont le naturel parfait me confondit intérieurement :

— C'est très ressemblant.

DU MÊME AUTEUR

Chez d'autres Éditeurs

Romans

LA VIE INQUIÈTE DE JEAN HERMELIN
(Grasset).

LE POUR ET LE CONTRE *(Éd. du Milieu du Monde)*.

Essais et Voyages

HISTOIRE DE PAOLA FERRANI *(Flammarion)*.

LE DEMI-DIEU OU LE VOYAGE DE GRÈCE
(Grasset).

L'HEURE QUI CHANGE *(Éd. du Milieu du Monde)*.

LIBÉRATIONS *(Brentano)*.

IDÉES DANS UN CHAPEAU *(Éd. du Rocher)*.

Cet ouvrage a été composé
et achevé d'imprimer par l'Imprimerie Floch
à Mayenne le 10 juin 1992.
Dépôt légal : juin 1992.
1er dépôt légal dans la même collection : septembre 1973.
Numéro d'imprimeur : 32599.

ISBN 2-07-036417-8 / Imprimé en France.